Jeux de doigts, rondes et jeux dansés • Tome 1

SOLANGE SANCHIS ●

Maternelle

RETZ

www.editions-retz.com

9 bis, rue Abel Hovelacque
75013 Paris

*Je dédie ce livre à tous mes petits élèves
qui m'ont offert l'inestimable cadeau
de leur attendrissante naïveté,
de leur spontanéité et de leur joyeux
bonheur de vivre.
Je veux, ici, les remercier de m'avoir
comblée de leur tendresse,
à tout jamais.*

declared
© RETZ/S.E.J.E.R., 2004.
ISBN : 978-2-7256-2365-8

SOMMAIRE

Introduction 7

Chapitre 1 : Les jeux de doigts 9

Jeux qui commencent par le petit doigt 12
   Petit Yann 12
   Les soldats 12
   Petit, gros... 13
   Celui-là 13
   Petits doigts qui frappent 14
   Jolie Francesca 14
   Drôle de famille 15
   Le poing 15

Jeux qui commencent par le pouce 16
   Minouchet 16
   La tarte aux kiwis 16
   C'est bon 17
   Ma canette Rosalie 17
   La fleur 17
   La soupe 18
   Pataud 18
   Maman poule 19

Opposition entre le pouce et les autres doigts 19
   Toc, toc, toc 19
   Gros ours 20
   Pouce câlin 20
   Rond, rond, rond 21
   Coccinelle et ses petits 21
   Monsieur Poucet 22
   Les petits chats 22
   Gentil-Gentil et ses amis 23

Jeux avec les deux mains 23
   Lapin dans la main 23
   Monsieur et Madame 24
   Deux petits bonshommes 24
   La petite alouette 25
   Petit cochon 25
   Le poussin picore 26
   Claquent petites mains 26
   Voici mes mains 27
   Ce que fait ma main 27
   La maison des oiseaux 28
   Bonjour 28

Le piano 29
La salade de fruits 30
Le lièvre 30

Jeux sur le visage **31**
Le nez du bébé 31
Sur ma figure 32
Les volets 32
La maison 33
Dring, dring 33
Capucin 34

Chapitre 2 : Les rondes et les jeux dansés 35

Les rondes 38

Rondes simples **39**
Meunier, tu dors 39
Tourne bien 40
La ronde des oiseaux 40
La belle ronde 41
Les flocons de neige 41
Le mille-pattes 42
Digue digue din 42
Dansez mignons 43
Les gentils petits enfants 43

Rondes finissant en position accroupie **44**
Au jardin de ma tante 44
Le crapaud qui chante 45
La ronde des bébés 45
Les poissons frétillants 46
Le plongeon 46
Les lapins du moulin 46
Dans les bois de St Pompom 47
Les jolis bambins 47

Rondes avec rebond et accroupi **48**
Le beau bateau 48
Auguste 49
Attention au ruisseau 49
Petite Amandine 50
Le pantin 50
Le criquet 51

Rondes en avançant et en reculant **51**
J'aime la galette 51
Naviguons 52
Le jardinier 52
Il pleut 53
Les voyages 54
L'âne Polisson 55

Rondes changeant de sens **56**
Amérika 56
La souris 56
Cousin Romain 57
Les autruches 58
La crème 58
Les crabes 59

Rondes tournant le dos **59**
J'ai des pommes à vendre 60
Les crêpes 61
Les papillons blancs 61
Le petit chat 62
La dispute 62
Le tourne-dos 63

Rondes mimées **64**
Le petit Limousin 64
Savez-vous planter les choux 65
Pour remplir son panier 66
La danse des mathématiques 67
Le manège 68
Carnaval 69
Les coquettes et les coquets 71

Rondes avec des enfants au milieu **73**
Oh ! Grand Guillaume 73
Dansez papillons 74
La tourterelle 75
Le bal 76
Le bouquet 77
Les mariés 78

Rondes énumératives **79**
La mich't en l'air 79
Le général a dit 80
La ronde d'Oulélé 82
Claque dans tes mains 85

Rondes éliminatoires **86**
La ronde du muguet 86
La sorcière Polycarpe 86
Les statues 87

Les jeux dansés **88**

Queues leu leu **88**
Quand trois poules 89
La chenille 90
Glin, glin, glin 90
Roule petit train 91
Trois poussins 92
Les éléphants 92

Farandoles **93**
    Laissez passer les petits enfants 94
    Les cigales 94
    Bamba, le boa 95
    La famille Youplala 95
    La fête des Arlequins 96
    La chaîne des pompiers 96

Cortèges **97**
    Petite hirondelle 98
    Le mariage 98
    Bras dessus, bras dessous 99
    À l'école 99
    Les inséparables 100
    Ti bada badi 100

Tresses simples **101**
    L'omelette 101
    Dans le bois du roi 102
    Trotte mon cheval 102
    Donne-moi la main 102
    Attention au loup 103
    Tourne par ici 103

Tresses avec va-et-vient **104**
    L'omelette à l'herbette 104
    Quand on fait des crêpes 104
    Allons au marché 105
    Scions le bois 105
    Un pour toi 106
    Les moustiques 107

Jeux avec tunnel **107**
    En passant les Pyrénées 108
    Le tunnel sous la Manche 109
    L'arc-en-ciel 110
    La voiture d'Arthur 110

Jeux avec pont et farandole **111**
    Laissez passer les alouettes 112
    L'arche fleurie 112
    Le pont des sorcières 113
    Les truites 114

Le CD **115**

Présentation **115**

Organisation **116**

Les partitions musicales **121**

Table alphabétique des comptines **161**

Table alphabétique des partitions **166**

Introduction

Proposer un ouvrage sur les jeux de doigts, les rondes et les jeux dansés, c'est choisir de mettre en lumière le rôle essentiel de ces activités dans les apprentissages fondamentaux du jeune enfant. Ces expériences ludiques, motrices, sensorielles, intellectuelles et affectives sont autant de moellons apportés à l'édification du socle de ses compétences. Elles permettent, en effet, d'appréhender quatre des cinq grands domaines d'activités définis par les Instructions officielles.

• • Agir et s'exprimer avec son corps

C'est dans le domaine des activités physiques que les rondes et jeux dansés trouvent leur place. Ils font partie de la danse, au même titre que l'expression corporelle libre ou la recherche de mouvements avec accessoires. Au cours de l'année scolaire, ils figurent dans des unités d'apprentissage programmées. Ils sont complémentaires des autres activités de ce domaine permettant à l'enfant de construire les bases de son répertoire moteur.

Lors des diverses figures, celui-ci exerce des activités motrices fondamentales, il se déplace en rythme, il marche, il court, plus ou moins vite, il sautille, il tourne, il virevolte, il saute, il mime… Tous ces exercices le conduisent à une connaissance de plus en plus fine de son schéma corporel.

• • S'approprier le langage

Les formulettes et les comptines parlées ou chantées favorisent chez l'enfant la diction, l'articulation et l'appropriation de tournures de phrases et de mots, familiers ou nouveaux.
Leur registre spécifique lui permet d'identifier et d'utiliser un autre niveau de langue.

La mise en œuvre des jeux provoque des moments de communication authentique. Elle est source d'échange entre l'adulte et les enfants et elle favorise, aussi, le dialogue entre les enfants eux-mêmes. On parle de l'histoire, on commente la chorégraphie, les déplacements, les groupements… Progressivement, un lexique spatio-temporel net et précis se met en place et est utilisé à bon escient. Enfin, lors des séquences, l'enfant prend conscience du lien simultané entre le dire et le faire.

•• Devenir élève

Les contraintes liées aux jeux permettent à l'enfant de mieux découvrir l'autre et d'agir en fonction de lui : unir sa main à celle d'un pair pour former un couple, faire partie d'une ronde, imiter, agir en même temps, coopérer, respecter les mêmes règles… sont autant d'actes qui favorisent la construction de la personnalité. L'enfant découvre, de la sorte, l'équilibre entre liberté et obligation. Il apprend aussi à vivre et à partager avec ses pairs des moments de plaisir, de joie et de détente sereine.

•• Percevoir, sentir, imaginer, créer

Les formulettes qui content des histoires courtes, parfois drôles ou saugrenues mais néanmoins souvent poétiques, enrichissent l'imaginaire et alimentent l'imagination. Les jeux favorisent les gestes, les mimiques l'expression des sentiments, des émotions on danse comme le roi ou la princesse, on tourne comme le bateau, on ressent le froid de la neige sous le tunnel des Pyrénées…

Pratiqués régulièrement, ils suscitent la création, l'invention de nouveaux jeux, de nouvelles chorégraphies. Ainsi, lors de recherches libres sur des musiques, l'enfant réutilise souvent des formations travaillées dans les jeux dansés. En grande section, il parvient à les articuler, successivement, pour créer une danse selon une chronologie bien établie.

Chapitre 1

Les jeux de doigts

C'est certainement en remarquant l'intérêt du nourrisson pour ses mains, le plaisir qu'il prend à les mouvoir et à les regarder que les nourrices d'antan ont inventé et transmis les jeux de doigts de générations en générations. L'école maternelle perpétue cette tradition.

Dès la petite section, l'enseignant invite les élèves autour de lui en disant et en montrant des jeux simples, accompagnés de mots proches de leur vocabulaire et de leur intérêt. Ainsi, peu à peu, les gestes de l'enfant s'affinent, son lexique s'enrichit et son élocution s'améliore.

Ces activités se pratiquent, lors d'un regroupement, dans un endroit de la classe où les enfants sont confortablement assis.

C'est toujours un moment de complicité, calme et souvent joyeux, au cours duquel l'enseignant module particulièrement le ton de sa voix, pour donner tout le relief requis aux formulettes qu'il conte. Il se place face à la classe et pense à inverser le jeu de ses mains pour ne pas favoriser l'emploi de la main gauche chez ses élèves.

Ces jeux se pratiquent tout au long de la journée. Ils prennent place au moment de l'accueil du matin ou de l'après midi, ou encore à la fin d'une séance d'activités motrices, pour un lent retour au calme. Ils sont proposés à l'heure de la sieste avant l'endormissement, ou bien, en fin de journée avant de quitter l'école. Ils sont répétés plusieurs fois, avec une main et avec l'autre. Les mêmes jeux sont repris, souvent, durant l'année scolaire et, en même temps, de nouveaux sont appris afin que, progressivement, l'enfant se constitue un important répertoire. En proposant toutes sortes de jeux présentés par catégories, cet ouvrage apporte une aide à l'enseignant pour enrichir ce répertoire. Cependant, volontairement, le classement adopté ne fait pas mention des sections, laissant au maître toute liberté d'exercer son choix en fonction de la connaissance de ses élèves.

Jeux qui commencent par le petit doigt

•• Petit Yann ••

Départ main fermée, paume vers soi, les doigts apparaissent, à tour de rôle, au cours du jeu.

C'est Petit Yann,
il a trois frères .... *L'auriculaire se dresse.*

    Arthur .... *L'annulaire se dresse, à son tour.*

    Julien .... *Le majeur se dresse, à son tour.*

    Et Romain .... *L'index se dresse, à son tour. Les quatre doigts sont tendus, le pouce est replié à l'intérieur de la main.*

    Et celui-là ? .... *Le pouce se lève, bien verticalement et les autres doigts se replient.*

                           La main bascule d'un demi-tour, l'auriculaire qui était vers le haut est, maintenant, vers le bas.

    C'est leur papa ! .... *Le pouce en évidence est projeté, en avant, au bout du bras tendu.*

•• Les soldats ••

Durant les deux premières phrases, la main droite est tendue en avant, poing fermé, paume tournée vers l'extérieur. Lorsque chaque doigt a joué, il reste dressé.

  À l'école des soldats
Tout le monde se tient droit
    Premier soldat .... *L'auriculaire se dresse.*

    Deuxième soldat .... *L'annulaire se dresse.*

    Troisième soldat .... *Le majeur se dresse.*

    Quatrième soldat .... *L'index se dresse.*

    Cinquième soldat .... *Le pouce se dresse.*

 Attention, garde à vous .... *La main est présentée doigts tendus, serrés les uns contre les autres.*

•• Petit, gros… ••

Départ main fermée, paume vers l'extérieur. Lorsque chaque doigt a joué, il se replie, aussitôt.

Petit, petit, petit, ……… *L'auriculaire fait un court va-et-vient de haut en bas et de bas en haut, sans que la main bouge.*

Oli, joli, joli, ………… *L'annulaire se dresse et la main le fait danser en se déplaçant sur une ligne ondulante, de droite à gauche.*

Grand, grand, grand, …… *Le majeur se dresse et la main monte verticalement sur chaque mot jusqu'à dépasser la tête.*

Moyen, moyen ………… *L'index va simplement une fois à droite et une fois à gauche, tel un essuie-glace, sans que la main bouge.*

Groooooooos …………… *Le pouce, emporté par la main, effectue des grands cercles dans l'espace.*

•• Celui-là ••

Départ main droite fermée, paume vers soi. Lorsque chaque doigt a joué, il reste dressé.

Celui-là rit …………… *Le pouce et l'index de la main gauche saisissent l'auriculaire droit pour le mettre en évidence.*

Celui-là chante ……… *Le pouce et l'index de la main gauche abandonnent l'auriculaire pour saisir l'annulaire droit…*

Celui-là pleure ……… *Comme précédemment, avec le majeur.*

Celui-là mange ……… *Comme précédemment, avec l'index.*

Et celui-là dort ……… *Le pouce et l'index de la main gauche amènent le pouce droit dans un berceau formé par la main gauche, en creux. Les quatre doigts de la main droite se referment comme un toit au dessus de ce berceau. Les mains ainsi réunies ne bougent plus.*

Chut ! ………………… *Le dernier mot est prononcé à voix basse.*

•• Petits doigts qui frappent ••

Départ main droite et main gauche fermées. Le dos de la main gauche reçoit les frappés des doigts de la main droite.

Un petit doigt
qui frappe .... *L'auriculaire frappe les syllabes orales de la phrase.*

Deux petits doigts
qui frappent .... *L'auriculaire et l'annulaire frappent…*

Trois petits doigts
qui frappent .... *L'auriculaire, l'annulaire et le majeur frappent…*

Quatre petits doigts
qui frappent .... *L'auriculaire, l'annulaire, le majeur et l'index frappent…*

Cinq petits doigts
qui frappent .... *L'auriculaire, l'annulaire, le majeur, l'index et le pouce frappent.*

1, 2, 3, 4, 5 .... *Les cinq doigts pianotent à tour de rôle, en commençant par l'auriculaire.*

Et voilà, la main .... *La main est présentée paume en avant, doigts écartés.*

•• Jolie Francesca ••

Départ main fermée, paume vers l'extérieur, les doigts apparaissent, à tour de rôle, au cours du jeu, seul l'auriculaire reste toujours dressé.

Jolie Francesca
veut aller au cinéma .... *L'auriculaire se dresse.*

Maman a dit non .... *L'annulaire se dresse et se replie aussitôt.*

Papa a dit non .... *Le majeur se dresse et se replie aussitôt.*

Quentin a dit non .... *L'index se dresse et se replie aussitôt.*

Mais Marie a dit oui ...... *Le pouce se lève, bien verticalement, et vient toucher l'extrémité de l'auriculaire.*

•• Drôle de famille ••

Départ main droite fermée, paume vers l'extérieur. Lorsque chaque doigt a joué, il reste dressé.

Le petit est gentil .... *Le pouce et l'index de la main gauche saisissent l'auriculaire droit pour le mettre en évidence.*

Le moyen est coquin .... *Le pouce et l'index de la main gauche abandonnent l'auriculaire pour saisir l'annulaire droit.*

Le plus grand est méchant . *Comme précédemment, avec le majeur.*

Le plus rond est grognon ... *Comme précédemment, avec l'index.*

Et le plus dodu
est tout crochu .... *Comme précédemment, avec le pouce.*

Quelle drôle de famille ! ... *Les deux mains ballantes, doigts écartés, s'agitent, vivement, d'arrière en avant.*

•• Le poing ••

Départ main droite ouverte paume vers l'extérieur.

Petit doigt, couche-toi ...... *L'auriculaire se replie dans la main.*

Doigt suivant, couche-toi ... *L'annulaire se replie dans la main.*

Doigt suivant, couche-toi ... *Le majeur se replie...*

Doigt suivant, couche-toi ... *L'index se replie...*

Gros pouce, couche-toi ...... *Le pouce se couche sur les doigts repliés.*

Voici mon poing .... *Le poing est tendu à bout de bras.*

• Variante

Garder le poing de la main droite fermé et faire le même jeu avec la main gauche.
Terminer par :

Voici mes deux poings ...... *Les deux poings sont tendus à bout de bras.*

Poum, poum, poum .... *Les deux poings s'entrechoquent trois fois.*

Jeux qui commencent par le pouce

•• Minouchet ••

(Jeu traditionnel)

La main droite est fermée, paume vers soi. Les quatre premiers doigts se lèvent les uns après les autres et restent dressés.

Celui-là, c'est Minouchet
Celui-là, c'est son papa
Celui-là, c'est sa maman
Celui-là c'est son grand frère
Et celui-là
c'est l'ami Pierre .... *L'auriculaire se lève tandis que les autres doigts se replient. La main effectue un va-et-vient de droite à gauche et de gauche à droite.*

•• La tarte aux kiwis ••

Les deux mains, ouvertes, paumes vers soi se touchent seulement, par le bout des index.

Dans ma tarte aux kiwis ... *En s'écartant l'une à droite, l'autre à gauche, les mains dessinent un cercle dans l'espace.*

J'ai mis de la farine .... *Le pouce se lève et reste dressé.*

Du beurre .... *L'index se lève et reste dressé.*

Du sucre .... *Le majeur se lève et reste dressé.*

Des kiwis .... *L'annulaire se lève et reste dressé.*

Et un radis .... *L'auriculaire se lève et reste dressé, tandis que les autres doigts se replient. La main pivote autour du poignet, à plusieurs reprises pour bien mettre en vedette ce radis intrus.*

Mais non tu t'es trompé
Pas de radis
dans la tarte aux kiwis ! .. *L'index se lève alors que les autres doigts sont repliés et la main effectue un va-et-vient latéral.*

•• C'est bon ••

La main droite est fermée, paume vers soi. Les doigts se lèvent les uns après les autres et restent dressés.

Un bonbon .... *Le pouce se dresse...*

Deux bonbons .... *L'index se dresse...*

Trois bonbons .... *Le majeur se dresse...*

Quatre bonbons .... *L'annulaire se dresse...*

Cinq bonbons .... *L'auriculaire se dresse...*

Hooo, c'est bon ! .... *La main droite balaie la bouche de haut en bas. La paume se pose sur la lèvre supérieure et la main descend comme pour lécher un cornet de glace.*

•• Ma canette Rosalie ••

La main droite est fermée, paume vers soi. Les doigts se lèvent les uns après les autres et restent dressés.

Ma canette Rosalie
a quatre petits .... *Le pouce se dresse. La main va de droite à gauche et de gauche à droite.*

Deux jaunes .... *L'annulaire et l'auriculaire se lèvent.*

Et deux noirs .... *Le majeur et l'index se lèvent.*

Regardez-les se promener .. *La main droite avance sur l'avant-bras gauche, de la main vers le coude, en pianotant.*

•• La fleur ••

La main droite est fermée, paume vers soi.

Lorsque le soleil se lève .... *Le pouce se lève et fait un mouvement de va-et-vient. Il reste dressé.*

La rose bleue .... *L'index se lève et reste dressé.*

De mon jardin .... *Le majeur se lève et reste dressé.*

S'ouvre .... *L'annulaire se lève et reste dressé.*

Doucement .... *L'auriculaire se lève et reste dressé.*

Les cinq doigts s'incurvent, un peu, pour former une corolle de fleur.

•• La soupe ••

La main droite est fermée, paume vers soi. Les quatre premiers doigts se lèvent les uns après les autres et restent dressés.

Voici celui qui
gratte les carottes

Voici celui qui
tranche les poireaux

Voici celui qui
pèle les pommes de terre

Voici celui qui
fait cuire la soupe

Et voici le tout petit qui
mange la soupe .... *Le pouce et l'index de la main gauche pincent l'auriculaire droit, à sa base, pour le mettre en évidence.*

•• Pataud ••

La main droite est fermée, paume vers soi.

Le gros chien Pataud
aboie trop souvent .... *Le pouce se lève.*

Le chat Pompon
n'est pas content .... *Le pouce se replie, l'index se lève. La main effectue un mouvement de droite à gauche et de gauche à droite, plusieurs fois.*

Le cheval Horace
n'est pas content .... *L'index se replie, le majeur se lève. La main effectue un mouvement de droite à gauche et de gauche à droite, plusieurs fois.*

Le canard Balthazar
n'est pas content .... *Le majeur se replie, l'annulaire se lève. La main effectue un mouvement de droite à gauche et de gauche à droite, plusieurs fois.*

Et le poussin Charly
est mécontent, aussi .... *L'annulaire se replie, l'auriculaire se lève. La main effectue un mouvement de droite à gauche et de gauche à droite, plusieurs fois, très rapidement.*

•• Maman poule ••

La main droite est ouverte, paume vers l'extérieur.

Quand la nuit vient,
    maman poule
appelle ses poussins .... *Le pouce s'anime d'un mouvement
de va-et-vient.*

Jaunet .... *L'index se replie, l'extrémité du doigt
touchant la base du pouce.*

Mimosa .... *Le majeur se replie, l'extrémité du doigt
touchant la base du pouce.*

Bouton d'or .... *L'annulaire se replie, l'extrémité du doigt
touchant la base du pouce.*

Narcisse .... *L'auriculaire se replie, l'extrémité du doigt
touchant la base du pouce.*

Venez vite
sous mon aile .... *Le pouce recouvre les quatre doigts repliés.*

Opposition entre le pouce et les autres doigts

•• Toc, toc, toc ••
(Jeu traditionnel)

Départ main ouverte, paume vers l'extérieur.

Toc, toc, toc .... *L'extrémité du pouce et l'extrémité
de l'index s'entrechoquent, trois fois.*

Qui est là .... *L'extrémité du pouce et l'extrémité
du majeur s'entrechoquent, trois fois.*

C'est bien toi .... *L'extrémité du pouce et l'extrémité
de l'annulaire...*

Comment vas-tu,
le p'tit doigt .... *L'extrémité du pouce et l'extrémité
de l'auriculaire...*

*Le pouce passe à droite puis à gauche
de l'auriculaire avant de reprendre contact
trois fois, comme précédemment.
Les enfants font, alors, un bruit de bises.*

•• Gros ours ••

Départ main fermée, paume vers soi.

Le gros ours dit	*Le pouce se dresse. Les autres doigts sont repliés.*
Bonjour à sa maman	*L'index se lève et le pouce vient à sa rencontre jusqu'à ce que les bouts de leurs deux phalanges supérieures se touchent, puis chacun reprend sa place.*
Bonjour à son papa	*Le majeur se lève et le pouce vient à sa rencontre jusqu'à ce que les bouts de leurs deux phalanges supérieures se touchent, puis chacun reprend sa place.*
Bonjour à son papi	*L'annulaire se lève et le pouce vient à sa rencontre...*
Et bonjour à sa toute petite mamie	*L'auriculaire se lève et le pouce vient à sa rencontre...*
Bonjour maman Bonjour papa Bonjour Papi Bonjour mamie	*Durant ces quatre phrases, le pouce « embrasse » successivement chacun des quatre doigts qui sont restés dressés.*

•• Pouce câlin ••

La main se présente ouverte paume tournée vers l'extérieur.

Le matin, mon pouce est très câlin	*Le pouce effectue un va-et-vient d'avant en arrière et d'arrière en avant. La main ne bouge pas.*
Il embrasse le majeur	*Le pouce va à la rencontre du majeur jusqu'à ce que les bouts de leurs deux phalanges supérieures entrent en contact, puis chacun reprend sa place.*
Il embrasse l'auriculaire ...	*Le pouce va à la rencontre de l'auriculaire.*
Il embrasse l'index	*Le pouce va à la rencontre de l'index.*
Il embrasse l'annulaire	*Le pouce va à la rencontre de l'annulaire.*

•• Rond, rond, rond ••

La main droite est ouverte, paume vers l'extérieur.

Rond comme une balle ...... *Le pouce et l'index de la main droite se joignent. Ils se touchent par l'extrémité de la phalange supérieure. Les doigts forment un rond.*

Rond comme une boule ...... *Le pouce et le majeur se joignent.*

Rond comme un brugnon ... *Le pouce et l'annulaire se joignent.*

Rond comme une prune ...... *Le pouce et l'auriculaire se joignent.*

• **Variante**

Les deux mains font les mêmes gestes, en même temps.

•• Coccinelle et ses petits ••

Départ main fermée, paume tournée vers soi.

Coccinelle a quatre petits .. *Présentation du pouce et demi-tour de la main complètement ouverte, paume vers l'extérieur.*

Qui dorment avec elle toutes les nuits .... *Les cinq doigts se referment, les bouts de doigts se touchent.*

Quand arrive le matin, Jojo s'envole sur les poireaux ... *L'auriculaire se détache du groupe.*

Titi s'envole sur les radis .... *L'annulaire se détache du groupe.*

Roudoudou s'envole sur les choux ...... *Le majeur se détache du groupe.*

Chonchon s'envole sur les poivrons ... *L'index se détache du groupe.*

Et coccinelle, Primerose, passe la journée sur les roses .... *Le pouce tourne sur lui-même.*

•• Monsieur Poucet ••

Départ main fermée, paume vers soi.

Quand Monsieur Poucet
se promène
dans son quartier .... Le pouce effectue un va-et-vient d'avant
en arrière et d'arrière en avant. La main
ne bouge pas.

Bonjour
monsieur le boulanger ...... Le pouce et l'index se plient à plusieurs
reprises comme pour une révérence.

Il rencontre la fleuriste ... Le majeur se dresse tandis que l'index
se replie.

Bonjour
madame la fleuriste .... Le pouce et le majeur se plient à plusieurs
reprises comme pour une révérence.

Il rencontre le pâtissier .... L'annulaire se dresse tandis que le majeur
se replie.

Bonjour
monsieur le pâtissier .... Le pouce et l'annulaire se plient ...
(Si les autres doigts bougent un peu,
ce n'est pas grave).

Il rencontre le poissonnier . L'auriculaire se dresse tandis que l'annulaire
se replie.

Bonjour
monsieur le poissonnier .... Le pouce et l'auriculaire se plient...

•• Les petits chats ••

Départ main fermée, paume vers l'extérieur.

...it chat blanc .... L'auriculaire se déplie.

Petit chat noir .... L'annulaire se déplie.

Petit chat gris .... Le majeur se déplie.

Petit chat roux .... L'index se déplie.

Aiment beaucoup
leur maman .... Les quatre doigts rejoignent le pouce.
Ils s'avancent et s'éloignent plusieurs fois.
Les enfants font des bruits de bisous.

•• Gentil-Gentil et ses amis ••

La main droite est ouverte, paume vers soi.

Gentil-Gentil
a beaucoup d'amis .... *Le pouce s'agite.*

Le lundi, il rencontre
Petit-Petit .... *Le pouce et l'auriculaire se joignent.*
Ils se touchent par l'extrémité de la phalange
supérieure. Les doigts sont tendus.

Le mardi, il rencontre
Voici-Voici .... *Le pouce et l'index se joignent.*

Le mercredi, il rencontre
Joli-Joli .... *Le pouce et l'annulaire se joignent.*

Et le dimanche, il rencontre
Grand-Grand .... *Le pouce et le majeur se joignent.*

Jeux avec les deux mains

•• Lapin dans la main ••

Les deux mains sont fermées, paumes vers le bas.

Petit oiseau, tout là-haut ... *L'auriculaire de la main droite se lève.*
L'index de la main gauche pointe vers
le ciel.

Petit rat dans le bois .... *L'auriculaire se replie. L'annulaire de la*
main droite se lève. L'index de la main
gauche pointe vers la terre.

Petit loup, dans son trou ... *L'annulaire se replie. Le majeur de la main*
droite se lève et pose son extrémité dans
le creux de la main gauche dont les doigts
sont légèrement repliés.

Petit chat, sur le toit .... *Le majeur se replie. L'index de la main*
droite se lève et pose son extrémité
sur le dos de la main gauche.

Petit lapin dans ma main ... *L'index se replie. Le pouce de la main droite*
se lève et se couche dans le creux de la
main gauche qui referme ses doigts sur lui.

•• Monsieur et Madame ••

(Jeu traditionnel)

Les deux mains sont fermées, paumes face à face.

Monsieur et Madame .... *Présentation du pouce droit et du pouce gauche.*

Sont à l'abri .... *Glisser les pouces sous les quatre doigts repliés.*

Ils regardent tomber la pluie .... *Faire sortir l'extrémité des pouces entre l'index et le majeur.*

Il pleut sur la grand route .... *La main droite pianote sur le bras gauche.*

Il pleut sur la prairie ...... *La main gauche pianote sur le bras droit.*

Et le tout petit trotte sous son parapluie .. *Cette dernière phrase est prononcée rapidement.*

L'auriculaire droit, dressé, s'abrite sous la main gauche, la pointe du doigt touche la paume de la main. Les deux mains se déplacent, rapidement, de gauche à droite.

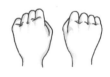

•• Deux petits bonshommes ••

(Jeu traditionnel)

Les deux mains se présentent fermées, paumes tournées vers l'extérieur.

Deux petits bonshommes .... *Les pouces se joignent et restent unis par l'extrémité de leurs phalanges supérieures.*

S'en vont au bois .... *Les index se dressent et s'unissent par l'extrémité de leurs phalanges supérieures.*

Chercher des pommes .... *Les majeurs se dressent et s'unissent...*

Des champignons .... *Les annulaires se dressent et s'unissent...*

Et des marrons .... *Les auriculaires se dressent...*

Et puis ils rentrent à la maison .... *Les deux pouces entrent sous le toit formé par les autres doigts réunis.*

•• La petite alouette ••
(Jeu traditionnel)

Les deux mains se présentent ouvertes, paumes tournées vers l'extérieur.

La petite alouette .... *La main droite, ouverte, paume vers l'extérieur, agite tous les doigts.*

Est passée par là .... *La main droite pianote en remontant sur le bras gauche, de la main vers l'épaule.*

Elle est revenue par ici .... *La main gauche pianote en descendant sur le bras droit, de l'épaule vers la main.*

Celui-ci l'a vue .... *Le pouce et l'index de la main gauche saisissent le pouce de la main droite.*

Celui-ci l'a attrapée .... *Le pouce et l'index de la main gauche saisissent l'index de la main droite.*

Celui-ci l'a fait cuire ...... *Le pouce et l'index de la main gauche saisissent le majeur de la main droite.*

Celui-ci l'a mangée .... *Le pouce et l'index de la main gauche saisissent l'annulaire de la main droite.*

Et le pauvre petit Riquiqui .... *Le petit doigt de la main droite se lève seul, les quatre autres doigts sont repliés.*

N'a eu que la fumée, que la fumée .... *Le bras droit oscille de droite à gauche et de gauche à droite.*

•• Petit cochon ••

Les deux mains sont fermées, paumes face à face.

Petit cochon .... *La main gauche est fermée, seul le pouce levé s'agite.*

Cache-toi .... *Le pouce se cache sous les quatre autres doigts.*

Ou méchant loup .... *La main droite approche de la gauche, le pouce opposé aux quatre autres doigts forme une gueule qui s'ouvre et se ferme.*

Te croquera .... *La gueule de la main droite engloutit la main gauche.*

•• Le poussin picore ••
(Jeu traditionnel)

Les deux mains sont fermées, paumes vers le bas.

Le joli poussin picore .... *L'auriculaire droit frappe plusieurs petits coups sur le dos de la main gauche.*

Sa maman lui dit encore ... *L'annulaire droit frappe plusieurs petits coups sur le dos de la main gauche.*

Son papa lui dit assez ...... *Le majeur droit frappe plusieurs petits coups sur le dos de la main gauche.*

Gare, gare le minet .... *Les deux mains ouvertes, doigts en crochets, comme des griffes se lèvent à hauteur du visage.*

Miaou .... *Les deux mains se projettent en avant comme pour atteindre une proie.*

Sauvez-vous .... *Les deux mains se cachent, prestement, derrière le dos.*

•• Claquent petites mains ••
(Jeu traditionnel)

Les deux mains se présentent ouvertes, paumes tournées vers l'extérieur.

Claquent, claquent
petites mains .... *La main gauche tapote la joue gauche, et la main droite fait de même sur la joue droite.*

Tournent, tournent,
petits moulins .... *Main gauche et main droite passent tour à tour l'une devant l'autre (quand l'une est en haut, l'autre est en bas) dans un mouvement d'enroulement.*

Petites mains
ont bien claqué .... *La main gauche tapote la joue droite, et la main droite fait de même sur la joue gauche.*

Petits moulins
ont bien tourné .... *Main gauche et main droite passent tour à tour l'une devant l'autre (quand l'une est en haut l'autre est en bas) dans un mouvement d'enroulement.*

•• Voici mes mains ••

Les deux mains sont fermées, paumes tournées vers l'extérieur.

1, 2, 3, 4, 5 .... *Les doigts de la main droite se déplient, tour à tour.*

Voici ma main .... *La main droite est bien ouverte.*

1, 2, 3, 4, 5 .... *Les doigts de la main gauche se déplient, tour à tour, en commençant par le pouce.*

Voici mon autre main .... *La main gauche est bien ouverte.*

5 et 5 : 10 .... *La main droite avance et recule, aussitôt.*

La main gauche avance et recule, aussitôt.

Les deux mains avancent en même temps.

• Variante

Le même jeu se fait, aussi, en commençant par l'auriculaire. On peut enchaîner les deux manières : après avoir présenté les deux mains ouvertes, en même temps, on les referme et on recommence l'énumération.

•• Ce que fait ma main ••
(Jeu traditionnel)

Les mains sont posées sur les genoux.

Savez-vous
ce que fait ma main ? ...... *La main droite pivote, plusieurs fois, autour du poignet.*

Elle tape, pan, pan, pan .... *La main droite se place au-dessus du dos de la main gauche et le frappe à trois reprises.*

Elle frotte, zin, zin, zin ..... *La main droite se place au-dessus du dos de la main gauche et le frotte à trois reprises.*

Elle gratte, gre, gre, gre ... *La main droite se place... et le gratte à trois reprises.*

Elle pince, aïe, aïe, aïe ..... *La main droite se place... et le pince (doucement) à trois reprises.*

Elle caresse,
doux, doux, doux .... *La main droite se place... et le caresse à trois reprises.*

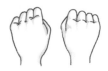

•• La maison des oiseaux ••

Les deux mains se présentent fermées, paumes tournées vers l'extérieur.

Qui va construire
notre maison ? .... *Les deux pouces se dressent.*

Demandent
deux oiseaux .... *Les pouces se joignent et restent unis par l'extrémité de leurs phalanges supérieures.*

Nous,
répondent les mésanges ..... *Les index se dressent et s'unissent par l'extrémité de leurs phalanges supérieures.*

Nous,
répondent les loriots .... *Les majeurs se dressent et s'unissent par l'extrémité de leurs phalanges supérieures.*

Nous,
répondent les tourterelles .. *Les annulaires se dressent et s'unissent par l'extrémité de leurs phalanges supérieures.*

Nous,
répondent les moineaux .... *Les auriculaires se dressent.*

La maison est finie .... *Les mains restent immobiles.*

Rentrons vite
dans notre nid .... *Les deux pouces entrent sous le toit formé par les autres doigts réunis.*

•• Bonjour ••

Les deux mains sont fermées, paumes vers le bas.

Bonjour .... *Les pouces se joignent et restent unis par l'extrémité de leurs phalanges supérieures.*

Comment .... *Les index se joignent et restent unis par l'extrémité de leurs phalanges supérieures.*

Allez-vous .... *Les majeurs se joignent et restent unis par l'extrémité de leurs phalanges supérieures.*

Aujourd'hui .... *Les annulaires se joignent et restent unis par l'extrémité de leurs phalanges supérieures.*

Mes amis .... *Les auriculaires se joignent et restent unis par l'extrémité de leurs phalanges supérieures.*

Bonjour .... *Les mains ainsi jointes, les pouces bougent. Ils se donnent l'accolade, d'un côté…*

Bonjour .... *Et de l'autre.*

Bisous .... *Les pouces se joignent et se séparent à plusieurs reprises (sans trop s'éloigner), les enfants font un bruit de bise.*

Bonjour

Bonjour

Bisous, etc. .... *Même jeu avec les index, avec les majeurs, etc.*

•• Le piano ••

Les mains sont posées sur les genoux.

Jouer du piano,
c'est rigolo .... *Elles se lèvent et pianotent dans l'espace.*

Do, ré mi, fa, sol, ... *Les doigts de la main droite, en commençant par le pouce, frappent chacun à leur tour la note d'un piano imaginaire.*

La, si, do .... *Les trois premiers doigts de la main gauche, en commençant par le pouce, frappent chacun à leur tour la note d'un piano imaginaire.*

Do, ré mi, fa, sol, ... *Les doigts de la main gauche, en commençant par le pouce, frappent chacun à leur tour…*

La, si, do .... *Les trois premiers doigts de la main droite, en commençant par le pouce, frappent chacun à leur tour…*

•• La salade de fruits ••

Les deux mains sont ouvertes, paumes vers l'extérieur.

Pour faire
une bonne salade de fruits,
il faut dix fruits .... *Les doigts s'agitent, puis les deux*
mains sont projetées en avant, par
une détente des deux avant-bras.
L'arrêt est net pour montrer les dix
doigts bien écartés.

Deux oranges .... *Les deux mains reviennent un peu en*
arrière et, aussitôt, les deux pouces sont
projetés en avant, par une détente
des deux avant-bras. L'arrêt est net
et les pouces restent dressés.

Deux bananes .... *Les deux mains reviennent un peu en*
arrière et, aussitôt, les deux index sont
projetés en avant, par une détente des
deux avant-bras. L'arrêt est net et les index
restent dressés.

Deux pommes .... *... les deux majeurs sont projetés*
en avant...

Deux pamplemousses .... *... les deux annulaires sont projetés*
en avant...

Et deux petits citrons ...... *... les deux auriculaires sont projetés*
en avant...

Puis, il faut mélanger ...... *Les mains tournent l'une autour*
de l'autre tandis que les doigts
s'entrelacent.

•• Le lièvre ••

Les deux mains sont fermées, paumes vers le bas.

Un petit lièvre gris .... *L'index de la main droite se lève, la main*
se redresse et pivote de droite à gauche
et de gauche à droite.

Habite ici .... *L'extrémité de l'index touche*
le creux de la main gauche.

Il se promène par ici,
par ici .... L'index passe autour des doigts de la main gauche ouverte qui est tournée paume vers soi.

Il s'insère d'abord entre l'auriculaire et l'annulaire, passant derrière celui-ci. Puis il continue entre l'annulaire et le majeur passant devant celui-ci. Il s'insinue, ensuite, entre le majeur et l'index, passant derrière celui-ci pour ressortir devant le pouce.

Il se promène par là,
par là .... La main gauche se retourne, paume vers l'extérieur et l'index de la main droite refait le parcours entre ses doigts en sens inverse. Il s'introduit entre le pouce et l'index... Ainsi de suite.

Chut, ne le dites pas
aux chasseurs .... L'index de la main droite se pose verticalement devant la bouche.

Jeux sur le visage

•• Le nez du bébé ••
(Jeu traditionnel)

Le petit nez du bébé .... L'index de la main droite tourne autour du nez.

Les petites pommes
de chaque côté .... Les deux index tournent chacun autour d'une pommette.

Le menton tout rond .... L'index de la main droite tourne autour du menton.

Les beaux yeux tout bleus . Les deux index tournent chacun autour d'un œil.

Le grand front .... Toute la main droite balaie le front.

Et les oreilles .... L'index et le pouce de chaque main tirent, légèrement, sur les lobes des oreilles, à plusieurs reprises.

•• Sur ma figure ••

Je fais le tour
de ma figure .... *La main droite effectue le geste.*

Je caresse mes cheveux ..... *Les deux mains effectuent le geste.*

Je pose mes doigts
sur mes yeux .... *Les doigts de la main gauche se posent
sur l'œil gauche, ceux de la main droite
sur l'œil droit.*

Je frotte mes joues .... *Main gauche et main droite font le geste.*

Je pince mon nez .... *L'index et le pouce de la main droite
effectuent le geste.*

Je fais le tour de ma bouche   *L'index droit effectue le geste.*

Je pianote sur mon menton .   *Les cinq doigts de la main droite effectuent
le geste.*

Et sur mon cou,
je fais guili-guili-guili ..... *Les cinq doigts de la main droite
chatouillent le cou.*

•• Les volets ••

Tous les soirs, quand
les lumières s'allument ..... *Les doigts de la main droite et ceux de la
main gauche pianotent, respectivement,
autour de l'œil droit et de l'œil gauche.
Elles démarrent à la racine du nez et
continuent sur les sourcils.*

La maison ferme
ses volets .... *Les deux mains se placent verticalement
de part et d'autre du visage, pouce appuyé
sous les oreilles et très lentement elles
recouvrent le visage.*

Le matin quand
le jour se lève .... *Les deux mains restent sur le visage
sans bouger.*

La maison ouvre
ses volets .... *Les deux mains pivotent lentement sur
le pouce, pour laisser apparaître le visage.*

•• La maison ••

Je tourne autour
de la maison .... *Les doigts de la main droite pianotent*
en tournant tout au tour du visage.

J'ouvre les volets .... *Le pouce et l'index de chaque main,*
unis par leur extrémité, se posent autour
de chaque œil comme des lunettes.
Les doigts se séparent et les mains
reculent vers les tempes.

Les index sont au-dessus des yeux,
les pouces sont en dessous.

Je tourne
le bouton de la porte .... *La main droite est à demi fermée, de façon*
à placer le nez dans le creux formé par le
pouce et l'index. Elle pivote autour du nez,
à deux reprises.

Je m'essuie les pieds
sur le paillasson .... *L'index de la main droite frotte*
énergiquement la partie comprise entre
le dessous du nez et la lèvre supérieure.

Et je rentre
dans la maison .... *L'index de la main droite entre dans*
la bouche bien ouverte.

•• Dring, dring ••

Dring, dring .... *La main droite tire le lobe de l'oreille*
droite, la main gauche tire le lobe gauche.

C'est moi .... *La main droite et la main gauche,*
côte à côte, forment des jumelles autour
de chaque œil.

Entrez .... *L'index droit se place entre le dessous*
du nez et la lèvre supérieure.

Par où ? .... *L'index droit descend sur le menton.*

Par là .... *L'index entre dans la bouche bien ouverte.*

•• Capucin ••

Capucin, le lapin,
s'est perdu dans la forêt ... *L'index de la main droite se promène dans la chevelure.*

Il cherche son chemin .... *L'index zigzague sur le front.*

Il regarde partout .... *L'index tourne autour de chaque œil.*

Il renifle l'air .... *L'index tapote le bout du nez tandis que les enfants inspirent bruyamment.*

Il saute au-dessus
du fossé .... *L'index passe du nez au menton en décrivant un arc de cercle.*

Il se faufile dans
son terrier .... *L'index se faufile dans l'encolure du vêtement.*

Chapitre 2

Les rondes et les jeux dansés

Les rondes et les jeux dansés font partie des activités à mener dans le cadre du troisième domaine défini par les instructions officielles : « Agir et s'exprimer avec son corps ». Contrairement à d'autres sortes de danses, sur des musiques ou avec des accessoires qui favorisent l'improvisation et la création personnelle, les rondes et jeux dansés obéissent à des règles. Les enfants apprennent et exécutent une chorégraphie qui reste identique pour un même jeu ou une même ronde.

Il est important de leur faire découvrir un large choix de ces danses afin de les amener, peu à peu, à apprendre les différentes catégories et leurs particularités.

Ainsi, ils reconnaissent les rondes : certaines finissent en position accroupie, d'autres tournent autour d'un enfant, certaines encore sont mimées... Ils identifient également les jeux dansés : les farandoles, les tresses, les jeux avec tunnel...

La spécificité de la catégorie leur permet, lorsqu'ils l'ont déjà rencontrée, d'anticiper la chorégraphie à exécuter.

L'annonce du titre aide à la mémorisation et à la constitution de leur répertoire de référence.

Par exemple, l'enseignant annonce : « Nous allons danser *Les autruches*, c'est une ronde qui tourne le dos » ou bien : « Nous allons danser *Les cigales*, c'est une farandole » ...

De plus, à l'aide du titre, les élèves peuvent plus facilement exercer leur choix et réclamer telle ou telle danse à l'enseignant : « On danse *Tourne bien* », « On danse *Digue digue din* »...

Par ailleurs, ces activités familiarisent les élèves avec le vocabulaire spécifique employé par l'enseignant, qu'ils s'approprient, peu à peu : « On se range par deux, on se donne la main... », « On avance, on tourne, à droite, à gauche... » La verbalisation de ces attitudes, de ces formations et de ces actions aide l'enfant à s'orienter dans l'espace, à se situer par rapport aux autres, à synchroniser son pas ou son geste à celui des autres ou de l'autre. De même, les comptines chantées pour danser enrichissent son lexique.

Enfin, ces historiettes stimulent son imaginaire et sa sensibilité. Elles l'entraînent aussi vers la création ca r les figures et les pas appris sont spontanément reproduits lors des improvisations ou pour la création d'une nouvelle danse.

Les rondes

La forme la plus simple de la ronde, telle qu'on l'apprend aux tout-petits, réunit, sur un cercle, un groupe d'enfants qui se tiennent par la main et un adulte meneur de jeu. À partir de cette figure, toutes sortes de variations sont possibles : par exemple, le groupe se répartit en plusieurs petites rondes, formations par trois, par quatre, par six, disséminées dans l'espace de jeu, ou encore, deux rondes sont incluses l'une dans l'autre. Le mode de déplacement change, il se fait en marchant, en avançant, en reculant, en sautillant, en courant à petits pas, ou parfois, en effectuant des pas chassés latéraux. La vitesse varie selon que les paroles de la formulette sont chantées plus ou moins vite, la marche, la course ou le sautillé sont plus ou moins rapides. Enfin, il existe toutes sortes de catégories de rondes : éliminatoires, mimées, dos tourné… dont les particularités sont expliquées ci-après.

Toutes ces rondes offrent des degrés de difficulté différents permettant à l'enseignant de faire ses choix selon l'âge des élèves, afin d'établir une progression dans leurs apprentissages. Pour les plus petits, lorsqu'une comptine est longue, on ne travaillera que sur les premières phrases.

• • Apprendre à danser la ronde

L'apprentissage des premières rondes demande indulgence et patience à l'enseignant. On connaît les difficultés du jeune enfant à se situer dans l'espace et à tenir compte de l'autre. C'est pourquoi il est fréquent, au début, d'avoir des rondes ovoïdes ou même carrées. C'est à l'adulte, petit à petit et essais après essais, d'amener les enfants à une meilleure performance. Car si la danse d'une ronde crée des moments de plaisir et de joie, elle n'en nécessite pas moins des temps d'apprentissages qui requièrent attention, sérieux et application. L'enseignant, meneur de jeu, donne les règles, guide la ronde, instaure un rituel. Avant de commencer, les danseurs se préparent, ils se donnent la main et ils placent leurs pieds dans le sens de la marche. (La ronde tourne, toujours, dans le sens solaire, celui des aiguilles d'une montre.) Dès le premier mot de la comptine, la ronde démarre. Tous les enfants évoluent en même temps en chantant. Lorsque la ronde est terminée, les danseurs s'immobilisent et attendent le signal pour se lâcher les mains.

Rondes simples

Les rondes simples, qui racontent des histoires proches de l'intérêt des tout-petits, permettent de les initier à ce type de formation. Elles ne comportent souvent que quelques phrases que l'on répète plusieurs fois.

•• Meunier, tu dors ••
(Ronde traditionnelle)

En marchant.

Meunier, tu dors

Ton moulin

Va trop vite

Meunier, tu dors

Ton moulin

Va trop fort[1]

Ton moulin, ton moulin

Va trop vite

Ton moulin, ton moulin

Va trop fort

Ton moulin, ton moulin

Va trop vite

Ton moulin, ton moulin

Va trop fort

Meunier, tu dors ?

---

1. Pour les tout-petits, on ne va pas plus loin.

À la fin de la sixième phrase sur « fort », la marche se fait plus rapide, jusqu'à la dernière phrase où les enfants font face au centre et miment « Tu dors ».
Ils joignent leurs deux mains et viennent les appuyer à hauteur de la joue droite comme si elles étaient un oreiller.

• **Variante**
De la septième à la quatorzième phrase, la ronde tourne en pas chassés latéraux.

•• Tourne bien ••

En marchant.

Pour faire une ronde

Donne-moi la main

Tourne, tourne, tourne

Tourne, tourne bien

Jusqu'à demain

Matin

Chanter et faire tourner la ronde à volonté.

• **Variantes**
- Tourner dans un sens, puis dans l'autre.
- Évoluer en tournant le dos au centre de la ronde.

•• La ronde des oiseaux ••

En marchant.

Les oiseaux dans le ciel

Font la ronde, font la ronde

Les oiseaux dans le ciel

Font une grande ronde autour du soleil

Chanter et faire tourner la ronde à volonté.

• **Variantes**
- Tourner dans un sens, puis dans l'autre.
- Évoluer en tournant le dos au centre de la ronde.

•• La belle ronde ••

En marchant.

Oh ! La ronde, la belle ronde
C'est la plus belle du monde
Faisons la tourner longtemps
Et nous serons très contents
Faisons la tourner longtemps
En ri ant

La ronde tourne sur les cinq premières phrases.
Sur « longtemps », les enfants se tournent face au centre et sur « En ri ant », ils font trois rebonds sur leurs pieds joints sans lâcher les mains.

•• Les flocons de neige ••

En marchant.

Dansez en rond, les petits flocons de neige
Valsez, légers, sans jamais vous reposer
Dansez en rond, les petits flocons de neige
Et voletez sur mon petit bout de nez
Dansez en rond, les petits flocons de neige
Valsez, légers, sans jamais vous reposer
Dansez en rond, les petits flocons de neige
Et voletez sur mon petit bout de pied

Chanter et faire tourner la ronde à volonté.

• Variantes
- Un changement de sens s'effectue après la fin de la quatrième phrase.
- La ronde est reprise trois fois, à trois allures différentes :
    1. En marchant lentement.
    2. En marchant un peu plus rapidement.
    3. En marchant rapidement.

•• Le mille-pattes ••

En marchant et en levant bien les pieds sur chaque syllabe.

Le mille-pattes qui danse

Lève bien ses pieds

En tortillant, il avance

Il n'est jamais pressé

1, 2, 3, 4, 5... Mille-pattes

La ronde tourne sur les quatre premières phrases.
À la dernière phrase, sur « 1, 2, 3, 4, 5 » les pas sont nettement détachés et le lever de pieds accentué.
Sur « Mille-pattes », les bras se lèvent, tendus vers le ciel, sans lâcher les mains.

•• Digue digue din ••

En sautillant.

Prends ma main

Tiens-la bien

Surtout ne la lâche pas

Digue digue din

Digue digue din

Prends ma main

Tiens-la bien

Et nous partirons là-bas

Digue digue da

Digue digue da

À enchaîner deux fois de suite, une fois dans un sens, une fois dans l'autre sens.

• Variante
À enchaîner deux fois de suite, une fois en regardant le centre de la ronde et une fois dos tourné au centre de la ronde.

•• Dansez mignons ••

En sautillant.

Dansez les petites filles
Dansez les petits garçons
Dansez les jolies gentilles
Dansez les jolis mignons
Tournez bien, virez bien
En vous tenant par la main
Dansez bien les diablotins

• **Variantes**

- Les enfants forment deux rondes voisines qui tournent simultané-
ment : la ronde des filles et la ronde des garçons.
Sur la première et la troisième phrases, les filles évoluent et les garçons
restent immobiles. À l'inverse, les garçons tournent sur la deuxième et
la quatrième phrases, alors que les filles demeurent immobiles. Puis les
deux rondes tournent en même temps sur les trois dernières phrases.
- Mêmes évolutions mais la ronde qui compte le plus d'élèves (l'enseignant est dans celle-ci) entoure l'autre. Les deux rondes tournent,
alors, en sens contraire.

•• Les gentils petits enfants ••

En marchant, en sautillant, en courant à petits pas.
En marchant.

Les gentils petits enfants qui se tiennent par la main
Marchent, marchent, marchent
Les gentils petits enfants qui se tiennent par la main
Marchent, marchent, marchent
Marchent, marchent, bien

En sautillant.

Les gentils petits enfants qui se tiennent par la main
Sautent, sautent, sautent
Les gentils petits enfants qui se tiennent par la main
Sautent, sautent, sautent
Sautent, sautent, bien

En courant à petits pas.

> Les gentils petits enfants qui se tiennent par la main
> Courent, courent, courent
> Les gentils petits enfants qui se tiennent par la main
> Courent, courent, courent
> Courent, courent, bien

Les enfants adoptent, tour à tour, trois allures pour cette ronde. Sur le premier couplet, ils marchent. Sur le deuxième, ils sautillent et sur le troisième, ils courent à petits pas.

Rondes finissant en position accroupie

Des consignes de prudence sont nécessaires lors de la présentation de ce type de ronde. En effet, au moment du passage à la position accroupie, les enfants qui sont liés les uns aux autres par les mains doivent bien équilibrer leur corps pour ne pas se cogner la tête contre le sol. En particulier, lorsque le pas sautillé ou la petite course sont utilisés, faire marquer un temps d'arrêt avant de s'accroupir.

•• Au jardin de ma tante ••
(Ronde traditionnelle)

En marchant.

> Au jardin de ma tante
> Le rossignol y chante
> Fait toutounet
> Fait toutounet

Fait tuit

La ronde tourne sur les quatre premières phrases.
À la fin de la quatrième phrase, les enfants font face au centre de la ronde, puis, ils s'accroupissent sur « tuit ».

•• Le crapaud qui chante ••

En marchant.

Tout près du ruisseau, il y a un joli crapaud

Qui chante, qui chante

Tout près du ruisseau, il y a un joli crapaud

Qui saute dans l'eau

Plouf

La ronde tourne sur les quatre premières phrases.
Sur « eau », les enfants font face au centre de la ronde et ils s'accroupissent sur « Plouf ».

•• La ronde des bébés ••

En marchant.

Pour jouer au bébé

Il faut savoir rapetisser

1, 2, 3,

Tout petit

La ronde tourne sur les trois premières phrases.
Sur « 3 », les enfants font face au centre de la ronde, puis ils s'accroupissent sur « Tout petit ».

• Variante

Une fois, ce sont les filles qui sont les bébés et elles s'accroupissent, tandis que les garçons restent debout. La fois suivante, ce sont les garçons qui s'accroupissent, tandis que les filles restent debout. Une troisième fois, tout le monde s'accroupit.

•• Les poissons frétillants ••

En marchant.

Petits poissons frétillants

Nagez, nagez dans l'eau claire

Tournez, virez, doucement

Mais écoutez votre mère

Si vous voyez le gros brochet

Plongez

La ronde tourne sur les cinq premières phrases.
Sur « brochet », les enfants font face au centre de la ronde et ils s'accroupissent sur « Plongez ».

•• Le plongeon ••

En marchant.

Les jolis poissons nagent, nagent

Les jolis poissons nagent, nagent en rond

Les jolis poissons nagent, nagent

Les jolis poissons vont faire un beau plongeon

Splash

La ronde tourne sur les quatre premières phrases.
Sur « plongeon », les enfants font face au centre de la ronde et ils s'accroupissent sur « Splash ».

•• Les lapins du moulin ••

En sautillant.

C'est la ronde des petits lapins

Qui tourne près du moulin

Mais si le loup vient à passer

Ils rentrent dans leur terrier

Yé

La ronde tourne sur les quatre premières phrases.
Sur « terrier », les enfants font face au centre de la ronde et ils s'accroupissent sur « Yé ».

•• Dans les bois de Saint Pompom ••

En marchant avec entrain.

Dans les bois de Saint Pompom

Il y a des champignons

Pour remplir ton panier

Il faut bien te baisser

Yé, yé

Dans les bois de Montluçon

Il y a des gros marrons

Pour remplir ton panier

Il faut bien te baisser

Yé, yé

La ronde tourne sur les quatre premières phrases.
Sur « baisser », les enfants font face au centre de la ronde et ils s'accroupissent, en deux temps sur « Yé, yé ».
Ils exécutent les mêmes figures sur le couplet suivant.

•• Les jolis bambins ••

En sautillant.

Les jolis bambins

Font la ronde, font la ronde

Ils sont tout petits

Petits

Petits

Mais, demain, ils seront grands

Grands

Grands

Très grands

Les jolis bambins

Font la ronde, font la ronde

Les jolis bambins

Font la ronde, tous les matins

La ronde tourne sur les trois premières phrases.
Sur « petits », les enfants font face au centre de la ronde et ils descendent, progressivement, sur les trois phrases suivantes.
Lorsqu'ils sont accroupis, ils chantent « Mais, demain, ils seront grands » et ils remontent progressivement sur les trois phrases qui suivent.
La ronde tourne, ensuite, sur les quatre dernières phrases.

• **Variante**

Sur « Très grands », les enfants se hissent sur la pointe des pieds et lèvent les bras tendus au-dessus de leur tête, sans lâcher les mains de leurs partenaires.

Rondes avec rebond et accroupi

Des consignes de prudence sont nécessaires lors de la présentation de ce type de ronde. En effet, après le rebond, au moment du passage brusque à la position accroupie, les enfants qui sont liés les uns aux autres par les mains doivent bien équilibrer leur corps pour ne pas se cogner la face contre le sol.

•• Le beau bateau ••
(Ronde traditionnelle)

En marchant.

Il tourne en rond notre beau bateau
Il tourne en rond trois fois
Il tourne en rond notre beau bateau
Et tombe au fond de l'eau

La ronde tourne sur les trois premières phrases.
Sur « Et tombe », les enfants se tournent face au centre de la ronde.
Sur « au fond de », ils font trois sauts, sur place, pieds joints et ils s'accroupissent sur « l'eau ».

• **Variantes**
La ronde est reprise trois fois, à trois allures différentes :
    1. En marchant lentement.
    2. En marchant un peu plus rapidement.
    3. En marchant rapidement.

•• Auguste ••

En marchant.

Dans notre cirque
Il y a un clown rigolo
Il s'appelle Auguste
Il souffle dans un pipeau
Ses grandes chaussures
À carreaux jaunes et violets
Ses grandes chaussures
Le font toujours trébucher
Quand il fait un saut
Il retombe aussitôt
Hop
Flop

La ronde tourne sur les dix premières phrases.
Sur « aussitôt », les enfants font face au centre de la ronde.
Sur « Hop », ils sautent sur place, pieds joints, sur « Flop », ils s'accroupissent.

• **Variantes**
- La ronde change de sens à la fin de la quatrième phrase.
- Elle change à nouveau de sens à la fin des quatre phrases suivantes.

•• Attention au ruisseau ••

En marchant et en levant les pieds bien haut.

Pour aller dans la forêt
Il faut bien lever ses pieds
Un pied, l'autre pied
Un pied, l'autre pied
Quand on arrive au ruisseau
Il faut faire trois petits sauts
Un, deux, trois
Ploc
On est tombé dans l'eau

La ronde tourne sur les six premières phrases.
À la fin de « trois petits sauts », les enfants se tournent face au centre de la ronde.
Sur « Un, deux, trois », ils font trois sauts, en hauteur, sur place, pieds joints et ils s'accroupissent sur « Ploc ».
La dernière phrase est parlée sur un ton de déception… pour rire.

•• Petite Amandine ••

En marchant.

Petite Amandine aime bien jouer

Elle saute à la corde toute la journée

Un saut, deux sauts, trois sauts

Pouf, elle est tombée

La ronde tourne sur les deux premières phrases.
Sur « journée », les enfants font face au centre de la ronde.
Sur « un saut, deux sauts, trois sauts », ils font trois sauts, en hauteur, sur place, pieds joints et ils s'accroupissent sur « Pouf ».
Ils restent accroupis pour chanter la fin de la phrase.

•• Le pantin ••

En marchant et en levant haut les pieds bien haut.

J'ai un pantin qui sait marcher

Mais il faut le remonter

Avec une petite clé

Souvent, il est détraqué

Alors il fait tic, tac, toc

Ploc, ploc, ploc

La ronde tourne sur les cinq premières phrases.
Sur « fait », les enfants font face au centre de la ronde. Sur « tic, tac, toc », ils font trois sauts, en hauteur, sur place, pieds joints et ils s'accroupissent, progressivement, sur « Ploc, ploc, ploc ».

•• Le criquet ••

En marchant.

Le criquet dans la prairie

Saute, saute, saute

Il est passé par ici

Et dans son trou il est parti

Bziii

La ronde tourne sur la première phrase.

Sur « Saute, saute, saute », les enfants font trois rebonds, en continuant à avancer sur la ronde.

Ils marchent, à nouveau, sur les deux phrases suivantes.

Ils s'accroupissent sur « Bziii ».

Rondes en avançant et en reculant

Lors de l'apprentissage de ce type de rondes, il est important d'expliquer aux enfants qu'ils doivent contrôler leurs pas afin d'éviter une bousculade au moment du rassemblement au centre de la ronde. Ces déplacements, en avant et en arrière, apprennent à chacun à maîtriser son élan pour être en harmonie avec les autres.

•• J'aime la galette ••
(Ronde traditionnelle)

En marchant et en sautillant.

J'aime la galette

Savez vous comment ?

Quand elle est bien faite

Avec du beurre dedans

Tra la la la la la la la

Tra la la la la la la la

Tra la la la la la la la

Tra la la la la la la la

Dès le début de la ronde, les enfants font face au centre. Sur la première et la troisième phrase, ils avancent, sur la deuxième et la quatrième phrase, ils reculent (en marchant). Sur les deux dernières phrases, la ronde tourne (en sautillant).

•• Naviguons ••

En marchant.

Naviguons sur notre beau bateau

Quand le temps est beau

Naviguons sur notre beau bateau

Quand le temps est beau

Même si la mer monte

Monte, monte, monte

N'ayons pas peur sur le bateau

La mer redescend, aussitôt

Naviguons sur notre beau bateau

Quand le temps est beau

Naviguons sur notre beau bateau

Quand le temps est beau

La ronde tourne sur les cinq premières phrases.
À la fin de la cinquième, sur « monte », les enfants font face au centre pour avancer vers celui-ci, sur les mots de la sixième phrase.
Ils restent immobiles, serrés les uns contre les autres en chantant, « N'ayons pas peur sur le bateau ». Puis ils reculent, lentement sur « La mer redescend, aussitôt ».
La ronde tourne, à nouveau sur les quatre dernières phrases.

•• Le jardinier ••

En marchant.

Dans mon jardin, j'ai planté

Des dahlias et des œillets

Quand la nuit est arrivée

Mes fleurs se sont refermées

Quand le soleil s'est levé

Elles se sont réveillées

Dans mon jardin, j'ai planté

Des dahlias et des œillets

L'an prochain, je planterai

Des radis et des navets

La ronde tourne sur les trois premières phrases.

À la fin de la troisième, sur « arrivée », les enfants font face au centre pour avancer vers celui-ci sur les mots de la quatrième phrase.

Ils restent immobiles, serrés les uns contre les autres et en chantant « Quand le soleil s'est levé », ils tendent leurs bras vers le ciel sans se lâcher les mains.

Puis ils reculent, lentement sur « Elles se sont réveillées ». La ronde tourne, à nouveau, sur les quatre dernières phrases.

•• Il pleut ••

En sautillant.

Il pleut, il pleut

La pluie tombe sur le toit

Bien à l'abri

Moi, je danse auprès de toi

Il pleut, il pleut

La pluie tombe sur le toit

Tant pis, tant pis

Je me serre contre toi

Enfin

L'orage est passé

La ronde tourne sur les sept premières phrases.

À la fin du dernier « tant pis », les enfants font face au centre de la ronde et sur la phrase suivante, ils marchent vers le centre pour se serrer les uns contre les autres.

Ils reculent, ensuite, très lentement, en disant les deux dernières phrases.

•• Les voyages ••

En marchant avec entrain.

Quand je serai grand

Je partirai en voyage

Je visiterai

Les villes et les villages

J'irai à Paris

Et à Tahiti

J'irai à Bordeaux

Et à Lugano

Quand je serai grand

Je partirai en voyage

Je visiterai

Les villes et les villages

J'irai à Limoux

Et à Tombouctou

J'irai à Toulon

Et à Miquelon

Quand je serai grand

Je partirai en voyage

Je visiterai

Les villes et les villages

J'irai à Colmar

Et à Zanzibar

J'irai à Privas

Et à Malaga

Quand je serai grand

Je partirai en voyage

Je visiterai

Les villes et les villages

La ronde tourne sur les quatre premières phrases.

Elle avance vers le centre sur la cinquième et recule sur la sixième.

Puis, elle avance, à nouveau, sur la septième et recule sur la huitième.

Ainsi de suite pour les couplets suivants.

Avec les enfants de petite et moyenne sections, on travaille sur un ou deux couplets seulement.

•• L'âne Polisson ••

En marchant.

Pour faire marcher, l'âne Polisson

Il faut chanter cette chanson

1, 2, 3, tu avances

1, 2, 3, tu recules

1, 2, 3, 4, 5,

Reprends vite ton chemin

Marche, marche, marche bien

Mon beau Polisson

Tu auras un potiron

La ronde tourne sur les deux premières phrases, et avance à petits pas vers le centre sur la troisième.

Elle recule, de la même façon, sur la quatrième et se remet à tourner jusqu'à la fin.

Rondes changeant de sens

Les rondes qui tournent toujours dans le sens des aiguilles d'une montre, tournent, tout à coup, en sens contraire, soit à la fin de la comptine soit durant celle-ci, quand les enfants entendent un mot déclencheur.

•• Amérika ••
(Ronde traditionnelle)

En marchant.

Amérika, Amérika

Nous tournons trois fois

Nous sautons

Hop-là

Sur « Hop-là », la ronde change de sens. Ainsi de suite.

•• La souris ••

En trottant à petits pas.

Souris dans le bois

Tu trottines, tu trottines

Souris dans le bois

Tu trottes, toujours, tout droit

Souvent tu te trompes et tu reviens sur tes pas

Souris dans le bois

Tu trottines, tu trottines

Souris dans le bois

Tu trottes, toujours, tout droit

Le changement de sens a lieu sur « trompes ». La ronde est reprise plusieurs fois, elle change à nouveau de sens à la fin de la comptine.

•• Cousin Romain ••

En pas chassés.

Si tu vois cousin Romain

Dis-lui que tu l'aimes

Dis-lui que tu l'aimes

Si tu vois cousin Romain

Dis-lui que tu l'aimes bien

Si tu vois cousin Édouard[2]

Change vite de trottoir

Il est vraiment trop bavard

Si tu vois cousin Romain

Dis-lui que tu l'aimes

Dis-lui que tu l'aimes

Si tu vois cousin Romain

Dis-lui que tu l'aimes bien

Pour faire les pas chassés, les enfants font face au centre de la ronde. Un changement de sens a lieu sur « si » de la sixième phrase. La ronde tourne alors en sens contraire sur les trois phrases suivantes.
Un nouveau changement de sens à lieu sur « si » de la neuvième phrase.
Ainsi de suite en enchaînant la comptine.

• Variante

Au lieu de se donner la main, les enfants se tiennent par les épaules. La main droite de l'un enserrant l'épaule droite de son voisin de droite et sa main gauche enserrant l'épaule gauche de son voisin de gauche.

---

2. Changer de prénom s'il y a un petit Édouard dans la classe, proposer Bernard, Richard ou Oscar.

•• Les autruches ••

En marchant.

Si les autruches qui se promènent

Semblent toujours hésiter

C'est que pour leur petite tête

Le choix est très compliqué

Un, deux, trois

Elles vont d'un côté

Un, deux, trois

De l'autre côté

Si les autruches qui se promènent

Semblent toujours hésiter

C'est que pour leur petite tête

Le choix est très compliqué

La ronde tourne sur les quatre premières phrases.

Trois changements de sens se succèdent, le premier sur « Un, deux, trois, Elles vont d'un côté », le second sur « Un, deux, trois, De l'autre côté » (durant ces quatre phrases, les enfants marquent bien les pas, en levant leurs pieds au rythme des syllabes).

Le troisième changement se produit sur « si les autruches... » et la ronde tourne ainsi jusqu'à la fin de la comptine.

•• La crème ••

En marchant.

Pour faire la crème

Il faut mélanger

Le lait et le sucre

Avec un fouet

Tournons-la

Virons-la

Hop là

Sur « Hop là », la ronde change de sens et enchaîne une nouvelle fois toute la comptine.

•• Les crabes ••

En marchant.

Promenons-nous sur la plage
Marchons tout doux sur le sable
À petits pas avançons
Mais attention, attention
Évitons les crabes verts
Qui marchent tout de travers
Petit pas sur le côté
Petit pas sur le côté
Vite de l'autre côté
Vite de l'autre côté
Hop là, nous sommes passés
Nous pouvons continuer
À nous promener

La ronde tourne sur les six premières phrases.
Deux changements de sens se succèdent, le premier sur « Petit pas sur le côté, Petit pas sur le côté », le second sur « Vite de l'autre côté, Vite de l'autre côté ».
La ronde tourne ainsi jusqu'à la fin de la comptine.

Rondes tournant le dos

Au cours de la comptine ou à la fin de celle-ci, les enfants tournent le dos au centre de la ronde. Tout le groupe peut se tourner en même temps ou successivement, quelques enfants ensemble, ou bien encore, un enfant tout seul.

•• J'ai des pommes à vendre ••
(Ronde traditionnelle)

En marchant.

J'ai des pommes à vendre

Des rouges et des blanches

J'en ai tant dans mon grenier

Qu'elles descendent par l'escalier

Céléri, céléra

Mademoiselle Julie (ou Monsieur Julien)

Tournez-vous comme ça

La ronde tourne sur les quatre premières phrases.

Sur « Céléri, céléra », les enfants s'immobilisent, face au centre de la ronde et ils balancent leurs bras d'avant en arrière et d'arrière en avant. Ils sont dans l'attente du prénom que va prononcer le meneur de jeu.

L'enfant qui a été nommé tourne le dos au centre de la ronde et le jeu recommence jusqu'à ce que tous les enfants soient cités. (Le meneur de jeu peut énoncer plusieurs prénoms, à la suite les uns des autres.)

Lorsque tous les enfants tournent le dos, le meneur de jeu change la sixième phrase. Il dit alors : « Tout le monde tournez-vous comme ça » et tous les enfants se retournent, en même temps, face au centre de la ronde.

• Variante

Quand tous les enfants tournent le dos, l'enseignant dit : « Tourne la galette », il lâche la main de l'élève qui est à sa droite et il entraîne la ronde vers la gauche tandis que l'enfant entraîne la ronde vers la droite. Lorsqu'ils se rejoignent la ronde est « à l'endroit » : tout le monde est tourné vers le centre.

•• Les crêpes ••

En pas chassés.

Pour faire des crêpes

Il faut des œufs et du lait

Le plus compliqué

C'est de bien les retourner

Oh Yé

et

Pour faire des crêpes

...

Sur « Oh Yé », les enfants se lâchent les mains pour faire un demi-tour et tourner le dos au centre de la ronde. Ils se redonnent, à nouveau, les mains pour repartir en pas chassés. Sur le deuxième « Oh Yé », ils se tournent vers le centre de la ronde et... ainsi de suite.

•• Les papillons blancs ••

En marchant.

Les jolis papillons blancs

Virevoltent dans les champs

Ils cherchent les fleurs sucrées

Dont ils vont se régaler

Mais papillon, mon mignon

Tourne le dos aux chardons

Qui piquent

La ronde tourne sur les six premières phrases.
Sur « chardons », les enfants font face au centre de la ronde et ils se lâchent les mains.
Sur « Qui », ils les tendent vers le centre de la ronde et sur « piquent », ils les retirent, rapidement pour faire un demi-tour sur eux-mêmes, comme s'ils s'étaient piqués avec un chardon. La ronde repart, les enfants ont le dos tourné au centre... ainsi de suite.

•• Le petit chat ••

En sautillant.

Lon lon la, Lon la

Danse, danse

Petit chat

Lon lon la, Lon la

À trois

Tu te retourneras

Un, deux, trois

et

Lon lon la, Lon la

...

Sur « retourneras », les enfants s'immobilisent face au centre de la ronde. Ils comptent « Un, deux, trois », ils se lâchent les mains pour faire un demi-tour et tourner le dos au centre de la ronde. Ils se redonnent à nouveau les mains et ils repartent, dos tourné jusqu'à « Un, deux, trois », où ils se tournent vers le centre de la ronde... ainsi de suite.

•• La dispute ••

En marchant rapidement.

Les filles et les garçons se disputent souvent

Si tu es fâchée, petite fille, retourne-toi

Les filles et les garçons se disputent souvent

Si tu es fâché, petit garçon, retourne-toi

C'est la ronde du dos tourné qui va se réconcilier

Attention, à trois, tu te retourneras

Un, deux, trois

La ronde tourne sur la première phrase et la moitié de la seconde.
Sur « petite fille, retourne-toi », les filles tournent le dos au centre de la ronde.
Sur la troisième phrase et la moitié de la quatrième, la ronde tourne, les garçons sont face au centre, les filles sont dos au centre.

Sur « petit garçon, retourne-toi », les garçons tournent le dos au centre, à leur tour.
La ronde tourne ainsi jusqu'à trois, puis tous les enfants se retournent pour faire à nouveau face au centre.

•• Le tourne-dos ••

En sautillant.

Quand on fait la ronde tout peut arriver

Il faut, toujours, bien écouter

Youp, la, la

Pull orange… tourne-toi

Quand on fait la ronde tout peut arriver

Il faut, toujours, bien écouter

Youp, la, la

Chaussures blanches… tourne-toi

Etc.

Quand on fait la ronde tout peut arriver

Il faut, toujours, bien écouter

Youp, la, la

Tout le monde tournez-vous comme moi

La ronde tourne sur les trois premières phrases. Sur « Youp, la, la », l'enseignant désigne le ou les enfants qui doivent tourner le dos au centre de la ronde, en nommant une de leurs particularités vestimentaires (bermuda, pantalon, jupe, serre-tête…) ou physiques (cheveux longs, tresses, regard bleu, frange…).
Le jeu continue jusqu'à ce que tous les participants soient dos tourné (sauf l'enseignant, le meneur de jeu ne se tourne jamais).
Au dernier couplet, l'injonction s'adresse à la collectivité : « Tout le monde tournez-vous comme moi ». Tous les enfants se retournent alors, pour être face au centre de la ronde.

Rondes mimées

Au cours de ce type de ronde, les enfants font les gestes qu'ils décrivent en chantant.

•• Le petit Limousin ••

(Ronde traditionnelle)

En marchant.

Et nous allons danser

La danse du Limousin

Et nous allons danser

La danse du Limousin

Le petit Limousin a dit : mains sur la tête

Et nous allons danser

La danse du Limousin

Et nous allons danser

La danse du Limousin

Le petit Limousin a dit : mains sur les épaules

et

Et nous allons danser

...

La ronde tourne sur les quatre premières phrases puis, sur la cinquième les enfants exécutent ce qu'ils chantent, en continuant à se déplacer... Ils reprennent les quatre premières phrases et, ainsi de suite...

Le petit Limousin a dit : mains sur les hanches

Le petit Limousin a dit : mains sur les genoux

Le petit Limousin a dit : mains sur les chevilles

•• Savez-vous planter les choux ••
(Ronde traditionnelle)

En marchant (avec les petits).

En sautillant (avec les plus grands).

Savez-vous planter les choux

À la mode, à la mode

Savez-vous planter les choux

À la mode de chez nous

On les plante avec le doigt

À la mode, à la mode

On les plante avec le doigt

À la mode de chez nous

La ronde est reprise plusieurs fois et chaque fois la façon de planter change à partir de la cinquième phrase.

On les plante avec le coude

On les plante avec le pied

On les plante avec le genou

On les plante avec le nez

• Suggestion

On les plante avec le pouce

On les plante avec l'index

On les plante avec le majeur

On les plante avec l'annulaire

On les plante avec l'auriculaire

• Variante

Avec les plus grands, on peut danser cette ronde comme une ronde énumérative (sur ce point, voir page 79). On chante chaque fois une façon de planter supplémentaire et on enchaîne les gestes.

•• Pour remplir son panier ••

En marchant.

C'est bien compliqué

Pour le jardinier

C'est bien compliqué

De remplir son panier

Pour cueillir des fraises

Il faut se baisser

Pour cueillir des prunes

Il faut s'étirer

Mais pour les framboises

Il faut se pencher

Et pour les melons

Il faut à nouveau plonger

C'est bien compliqué

Pour le jardinier

C'est bien compliqué

De remplir son panier

La ronde tourne sur les cinq premières phrases.

Sur « fraises », les enfants font face au centre de la ronde, se lâchent les mains et s'accroupissent sur la phrase suivante. Ils chantent : « Pour cueillir des prunes » pendant qu'ils se relèvent et montent les bras vers le ciel, en se hissant sur la pointe des pieds, sur la phrase qui suit.

Ils baissent peu à peu les bras en chantant « Mais pour les framboises » et les descendent tendus jusqu'à la hauteur des mollets, sans plier les genoux.

Sur « Et pour les melons », ils se remettent en position verticale et s'accroupissent sur la phrase suivante.

Sur « C'est bien compliqué », ils se redonnent les mains et la ronde tourne, à nouveau, pendant les trois dernières phrases.

•• La danse des mathématiques ••

En marchant.

Pour savoir bien danser
La danse des mathématiques
Il faut savoir bien compter
Et faire beaucoup de mimiques

1, 2
Levez un pied .... Jambe levée, haut, tendue.

3, 4
Tournez, tournez .... Les enfants tournent sur place,
sur eux-mêmes.

5, 6
Tapez les cuisses .... Main droite sur cuisse droite, main gauche
sur cuisse gauche.

7, 8
Claquez des mains .... Deux claquements de mains.

9, 10
Embrassez votre voisin .... Main droite sur l'épaule gauche du
partenaire, main gauche sur l'épaule droite,
les enfants se donnent l'accolade.

Nous avons bien dansé
La danse des mathématiques
Nous avons bien compté
Et nous avons bien mimé

La ronde tourne sur les quatre premières et sur les quatre dernières phrases, pour mimer, les enfants font face au centre de la ronde.

Pour préparer « Embrassez votre voisin », les couples s'identifient avant de commencer la ronde. En cas de nombre impair, l'enseignant participe à l'embrassade (ou bien, il est décidé qu'un groupe de trois sera formé).

•• Le manège ••

En marchant.

Ce soir c'est la fête,
 on va s'amuser

Viens sur le manège,
 je vais te montrer

    Sur le vélo .... *Les mains font tourner un pédalier imaginaire.*

    Tu courbes le dos .... *Le corps prend la position du coureur cycliste.*

    Sur le chameau .... *Les mains dessinent deux bosses.*

    Tu vas au galop .... *Les pieds font un galop sur place, les mains tiennent les rênes.*

    Sur la voiture .... *Les mains dessinent la silhouette d'une voiture.*

    Tu choisis l'allure .... *Les mains font tourner le volant.*

    Sur la toupie .... *Les mains dessinent un cercle.*

    Tourne, sans répit .... *Le corps, tout entier, tourne sur lui-même.*

    Et sur l'avion .... *Les bras sont étendus de part et d'autre du corps.*

Fais comme le papillon ..... *Les bras montent et descendent.*

Ce soir c'est la fête,
 on va s'amuser

Viens sur le manège,
 viens on va tourner

La ronde tourne sur les deux premières et les deux dernières phrases.
Pour mimer, les enfants font face au centre de la ronde.

•• Carnaval ••

En marchant.

Quand arrive Carnaval

Tout le monde danse au bal

Quand arrive Carnaval

Tout le monde danse au bal

Pour danser comme Mickey

Il faut bien lever les pieds

Un pied

L'autre pied

Un pied

L'autre pied

Pour danser comme Zorro

Il faut tourner son lasso

Un tour

Un autre tour

Un tour

Un autre tour

Pour danser comme Arlequin

Il faut remuer les mains

Une main

L'autre main

Une main

L'autre main

Pour danser comme le Roi

Il faut agiter les bras

Un bras

L'autre bras

Un bras

L'autre bras

Quand arrive Carnaval

Tout le monde danse au bal

Quand arrive Carnaval

Tout le monde danse au bal

La ronde tourne sur les six premières phrases, puis sur « les pieds », les enfants font face au centre de la ronde et le mime commence.

Sur les quatre phrases suivantes, les danseurs avancent tour à tour le pied droit et le pied gauche, pointe tendue en avant.

La ronde reprend sur les deux phrases qui suivent, puis sur « lasso », les enfants font face au centre de la ronde et le mime recommence.

Sur les quatre phrases suivantes, les danseurs tendent, tour à tour, le bras droit et le bras gauche au-dessus de leur tête et font tourner leur poignet pour mettre en mouvement un lasso imaginaire.

La ronde reprend sur les deux phrases qui suivent, puis sur « les mains », les enfants font face au centre de la ronde et le mime recommence.

Sur les quatre phrases suivantes, les danseurs font pivoter, tour à tour, leur main droite et leur main gauche autour de leur poignet. Le bras est plié de façon à ce que la main se trouve à hauteur du visage.

La ronde reprend sur les deux phrases qui suivent, puis sur « les bras », les enfants font face au centre de la ronde et le mime recommence.

Sur les quatre phrases suivantes, les danseurs montent et descendent tour à tour, le bras droit et le bras gauche, tendus, au-dessus de leur tête, deux fois pour chaque bras.

•• Les coquettes et les coquets ••

En marchant.

Les coquettes et les coquets
Aiment beaucoup se regarder
Ils se mirent dans leur miroir
Tous les soirs
Mon beau miroir, fais comme moi :

Remue la tête .... *La tête est balancée*
de droite à gauche
et de gauche à droite.

Tourne la tête .... *La tête décrit un cercle.*

Les coquettes et les coquets
Aiment beaucoup se regarder
Ils se mirent dans leur miroir
Tous les soirs
Mon beau miroir, fais comme moi :

Lève les bras .... *Les bras sont levés, tendus,*
au-dessus de la tête.

Balance les bras .... *Les bras ballants, le long*
du corps, se balancent
d'avant en arrière.

Les coquettes et les coquets
Aiment beaucoup se regarder
Ils se mirent dans leur miroir
Tous les soirs
Mon beau miroir, fais comme moi :

Croise les bras .... *Les bras sont croisés*
à hauteur de la poitrine.

Croise les doigts .... *Les doigts sont croisés*
à hauteur des yeux.

Les coquettes et les coquets
Aiment beaucoup se regarder
Ils se mirent dans leur miroir
Tous les soirs

Ce jeu nécessite un nombre pair de danseurs. Selon le cas, l'enseignant participe ou non. La ronde tourne sur les quatre premières phrases.

Sur « soirs », les enfants se font face, deux à deux, afin que chacun devienne le miroir de l'autre. Ils tapent dans leurs mains (main gauche de l'un contre main droite de l'autre et vice versa) les huit syllabes de « Mon beau mi roir, fais com me moi ».

Le mime commence alors. Les enfants effectuent les gestes suggérés par les deux phrases suivantes, en prenant soin de les coordonner à ceux de leur partenaire. La ronde reprend…ainsi de suite.

On peut continuer avec d'autres propositions :

Touche ton nez

Caresse ton front

/

Tire tes oreilles

Ouvre la bouche

/

Lève le pied

Tourne le dos

Etc.

Rondes avec des enfants au milieu

Au départ de la ronde, un enfant en occupe le centre. Sur un mot précis de la comptine, il invite à danser un ou plusieurs partenaires.

•• Oh ! Grand Guillaume ••
(Ronde traditionnelle)

En marchant.

Oh ! Grand Guillaume

As-tu bien déjeuné ?

Mais oui madame

J'ai mangé du pâté

Du pâté d'alouette

Guillaume et Guillaumette

Et chacun se saluera

Et Guillaume restera

Pour cette ronde, il faut un nombre impair de danseurs (l'enseignant participera ou non au jeu). « Grand Guillaume » est au centre de la ronde, il tourne dans le sens opposé à celle-ci et répond à l'interrogation en chantant, seul, la troisième et la quatrième phrase. Sur « restera », il choisit, rapidement quelqu'un et le salue. Les autres danseurs font de même et se saluent deux à deux. L'enfant qui n'a pas trouvé de partenaire devient « Grand Guillaume ».

•• Dansez papillons ••

En marchant et en sautillant.

Sur le chemin de l'école

Ce matin j'ai rencontré

Un joli papillon rose

Et avec lui j'ai dansé

Dansez jolis papillons

Dansez tout en rond

Dansez jolis papillons

Dansez tout en rond

Sur le chemin de l'école

Ce matin j'ai rencontré

Un joli papillon rose

Et avec lui j'ai dansé

Un enfant est à l'intérieur de la ronde dès le départ du jeu.

La ronde tourne, en marchant sur les quatre premières phrases, tandis que l'enfant qu'elle entoure tourne en sens contraire.

Sur « dansé », il choisit un partenaire. Le couple, se donnant les deux mains pour former une petite ronde, sautille sur « Dansez jolis papillons, Dansez tout en rond », tandis que les enfants de la grande ronde sont immobiles et tapent le rythme dans leurs mains.

Après le deuxième « Dansez tout en rond », l'enfant choisi demeure seul à l'intérieur de la ronde tandis que son partenaire regagne le cercle. Le jeu recommence.

• Variante

Le couple qui évolue au centre effectue un changement de sens après le premier « Dansez tout en rond. »

•• La tourterelle ••

En marchant et en sautillant.

Ma gentille tourterelle

Viens chanter pour moi

Dans un doux battement d'ailes

Pose-toi sur mon doigt

Cou cou rou cou cou

Cou cou rou cou cou

Cou cou rou cou cou

Cou cou rou cou cou cou

Un enfant est à l'intérieur de la ronde dès le départ du jeu.

La ronde tourne, en marchant sur les quatre premières phrases, tandis que l'enfant qu'elle entoure tourne en sens contraire, en agitant les deux bras comme des ailes.

Sur « doigt », tous les enfants font face au centre de la ronde, la main droite tendue en avant, l'index levé.

Le danseur qui est au milieu choisit un partenaire en accrochant son index droit à l'index droit de son partenaire. Le couple, ainsi relié, évolue au centre de la ronde en sautillant autour de l'axe formé par leurs deux bras droits, tendus, élevés au-dessus de leur tête. Ils tournent ainsi pendant la durée des quatre dernières phrases.

Les enfants de la grande ronde sont immobiles et tapent le rythme dans leurs mains.

Sur le dernier « cou cou », l'enfant choisi demeure à l'intérieur de la ronde tandis que son partenaire regagne le cercle. Le jeu recommence.

• Variante

Durant les quatre dernières phrases, les enfants de la ronde se font face deux à deux et mains à hauteur du visage. Ils tapent dans leurs mains (main droite de l'un contre main gauche de l'autre et main gauche contre main droite). Pour préparer cette figure, les couples s'identifient avant de commencer la ronde. En cas de nombre impair, l'enseignant participe au jeu.

•• Le bal ••

En marchant et en pas chassés.

Prince mon beau prince, vous qui savez bien danser

Prince mon beau prince, venez, vite me chercher

Ou pour une fille.

Ma belle princesse, vous qui savez bien danser

Ma belle princesse, venez, vite me chercher

Dansons, dansons

La valse et le rigodon

Tournons, tournons,

Tous en rond, tous en rond

Un enfant est à l'intérieur de la ronde dès le départ du jeu.

La ronde tourne, en marchant, sur les deux premières phrases tandis que l'enfant qu'elle entoure danse, sur place, en levant, tour à tour la jambe droite et la jambe gauche.

Sur « chercher », il choisit un ou une partenaire (le couple formé est mixte) et les deux danseurs, face à face, bras tendus, main droite dans main gauche et main gauche dans main droite tournent en pas chassés, en sens contraire de celui de la ronde, qui évolue, elle aussi, en pas chassés.

L'enfant choisi demeure à l'intérieur de la ronde tandis que son partenaire regagne le cercle. Le jeu recommence.

•• Le bouquet ••

En marchant et en sautillant.

Pour faire un bouquet de fleurs

Il faut bien choisir les couleurs

Il faut savoir mélanger

Les pivoines et les bleuets

Ca si mir

À toi de choisir

Ah ! Le beau bouquet madame

Ah ! Le beau bouquet monsieur

Ah ! Le beau bouquet madame

Ah ! Le beau bouquet monsieur

C'est le plus beau bouquet du monde !

La dernière phrase est dite sur un ton admiratif.

Avant de commencer le jeu, le groupe s'organise (pour faciliter l'explication, c'est l'exemple d'une classe de vingt élèves qui est choisi ici. À partir de cela, toutes les variations de nombre sont possibles). Des colliers en raphia de couleur sont à la disposition des danseurs.

- Cinq verts pour les « Casimir » (la ronde recommencera cinq fois)
- Trois rouges
- Trois jaunes
- Trois bleus
- Trois roses
- Trois violets

Le meneur de jeu désigne le premier « Casimir » qui va à l'intérieur de la ronde. Il marche en sens contraire de celle-ci durant les quatre premières phrases. Sur « bleuets », tous les danseurs s'immobilisent et les enfants de la ronde se tournent face à « Casimir » pour lui dire les deux phrases suivantes. Celui-ci choisit, alors cinq « fleurs » de couleurs différentes et il forme avec elles une petite ronde qui sautille sur les quatre phrases suivantes. La ronde tourne aussi en sautillant.

Sur le dernier « monsieur », tous les danseurs s'immobilisent à nouveau et, tandis que les danseurs de la ronde disent la dernière phrase, les enfants du « bouquet » pivotent sur eux-mêmes pour faire une révérence en direction de ceux-ci. Puis, ils regagnent leurs places sur la ronde et un nouveau Casimir entre, à son tour… ainsi de suite.

• Variante

Changement de sens pendant les sautillés, à la fin de la huitième phrase.

•• Les mariés ••

En sautillant.

Aujourd'hui c'est la fête

La belle fête

La jolie fête

La fête des mariés

Monsieur le Maire accueillons-les

Acclamons les mariés

Et regardons-les danser

Acclamons les mariés

Et regardons-les danser

Vive les mariés

Cette phase est dite avec enthousiasme.

Le « Maire » (l'enfant qui choisit les mariés) fait partie de la ronde. Il tient son rôle plusieurs fois de suite, puis un autre enfant le remplace… ainsi de suite. La première fois, l'enseignant peut être le « Maire ».

La ronde tourne sur les quatre premières phrases puis, elle s'arrête sur « accueillons-les ». Le « Maire » nomme, alors, un garçon et une fille qui vont tourner à l'intérieur de la ronde, bras dessus, bras dessous, tandis que les autres danseurs tapent dans leurs mains.

Sur la dernière phrase les enfants de la ronde lèvent leurs bras tendus vers le ciel, en s'exclamant et le couple s'incline pour saluer.

Il reprend, ensuite, sa place dans la ronde et le jeu recommence.

Rondes énumératives

Après chaque couplet, une nouvelle phrase amène un nouveau geste après lequel les enfants enchaînent la succession des gestes précédents.

•• La mich't en l'air ••
(Ronde traditionnelle)

En sautillant.

Bonhomme, bonhomme

Que savez-vous faire

Savez-vous danser

À la mich't en l'air

À la mich't en l'air

Une main en l'air

Une main en l'air

Bonhomme, bonhomme

Que savez-vous faire

Savez-vous danser

À la mich't en l'air

À la mich't en l'air

Les deux mains en l'air

Les deux mains en l'air

Bonhomme, bonhomme

Que savez-vous faire

Savez-vous danser

À la mich't en l'air

À la mich't en l'air

Une main en l'air

Une main en l'air

Les deux mains en l'air

Les deux mains en l'air

Une jambe en l'air

Une jambe en l'air

Les enfants tournent en file sur la ronde, ils ne se tiennent pas par les mains. À la fin de la cinquième phrase, ils lèvent le bras qui est à l'intérieur de la ronde au-dessus de leur tête (le bras gauche, si la ronde tourne dans le sens des aiguilles d'une montre), et ils font tourner leur main autour du poignet, sans arrêter de sautiller pendant les deux phrases suivantes.

Le jeu est le même pour le second couplet, à la fin de la cinquième phrase, la main gauche reprend son mouvement, sur les deux phrases suivantes, puis, la main droite fait de même sur les deux phrases qui suivent. Les enfants ont, alors les deux bras en l'air.

Sur le troisième couplet, après la cinquième phrase, les enfants enchaînent, bras gauche, bras droit et une jambe pliée. Ils progressent, alors, en sautant sur l'autre pied.

•• Le général a dit ••

En marchant et en courant.

Le général a dit

Il faut faire

tout ce que je dis

Un, tu sautes .... *Saut en « hauteur », pieds joints.*

Le général a dit

Il faut faire

tout ce que je dis

Un, tu sautes

Deux, tu t'accroupis .... *Genoux écartés, sans lâcher les mains de ses partenaires.*

Le général a dit

Il faut faire

tout ce que je dis

Un, tu sautes

Deux, tu t'accroupis

Trois, tu lèves les bras ..... *Bras levés, tendus, sans lâcher les mains de ses partenaires.*

Le général a dit
Il faut faire
tout ce que je dis
Un, tu sautes
Deux, tu t'accroupis
Trois, tu lèves les bras
Quatre, tu t'agenouilles .... *Genoux serrés, buste droit, sans lâcher les mains de ses partenaires.*

Le général a dit
Il faut faire
tout ce que je dis
Un, tu sautes
Deux, tu t'accroupis
Trois, tu lèves les bras
Quatre, tu t'agenouilles
Cinq, tu cours
Tu cours, tu cours, tu cours . *La ronde tourne en petite course.*

La ronde tourne toujours sur « Le général a dit, il faut faire tout ce que je dis ».

Pour effectuer les différentes actions demandées, les enfants font toujours face au centre de la ronde.

•• La ronde d'Oulélé ••

En marchant.

Pour danser la ronde d'Oulélé
Il faut savoir bien montrer
Oulélé d'une main
Pour danser la ronde d'Oulélé
Il faut savoir bien montrer
Oulélé d'une main
Oulélé de l'autre main
Pour danser la ronde d'Oulélé
Il faut savoir bien montrer
Oulélé d'une main
Oulélé de l'autre main
Oulélé d'un coude
Pour danser la ronde d'Oulélé
Il faut savoir bien montrer
Oulélé d'une main
Oulélé de l'autre main
Oulélé d'un coude
Oulélé de l'autre coude
Pour danser la ronde d'Oulélé
Il faut savoir bien montrer
Oulélé d'une main
Oulélé de l'autre main
Oulélé d'un coude
Oulélé de l'autre coude
Oulélé d'un genou
Pour danser la ronde d'Oulélé
Il faut savoir bien montrer
Oulélé d'une main
Oulélé de l'autre main

Oulélé d'un coude

Oulélé de l'autre coude

Oulélé d'un genou

Oulélé de l'autre genou

Pour danser la ronde d'Oulélé

Il faut savoir bien montrer

Oulélé d'une main

Oulélé de l'autre main

Oulélé d'un coude

Oulélé de l'autre coude

Oulélé d'un genou

Oulélé de l'autre genou

Oulélé d'un pied

Pour danser la ronde d'Oulélé

Il faut savoir bien montrer

Oulélé d'une main

Oulélé de l'autre main

Oulélé d'un coude

Oulélé de l'autre coude

Oulélé d'un genou

Oulélé de l'autre genou

Oulélé d'un pied

Oulélé de l'autre pied

Pour danser la ronde d'Oulélé

Il faut savoir bien montrer

Oulélé d'une main

Oulélé de l'autre main

Oulélé d'un coude

Oulélé de l'autre coude

Oulélé du cœur

Oulélé de l'autre genou

Oulélé d'un pied

Oulélé de l'autre pied

Oulélé de la tête

Pour danser la ronde d'Oulélé

Il faut savoir bien montrer

Oulélé d'une main

Oulélé de l'autre main

Oulélé d'un coude

Oulélé de l'autre coude

Oulélé d'un genou

Oulélé de l'autre genou

Oulélé d'un pied

Oulélé de l'autre pied

Oulélé de la tête

Oulélé de la bouche

La ronde tourne sur les deux premières phrases, puis le mime commence. Les enfants miment ce qu'ils chantent, ils désignent avec la main opposée la partie du corps qui est nommée. (La main droite avec la main gauche et vice versa, le coude droit avec la main gauche et vice versa…) Ils reprennent la ronde après chaque énumération.

•• Claque dans tes mains ••

En marchant.

Quand tu entends
un joyeux refrain

Claque dans tes mains

Claque dans tes mains

Une fois .... *Un claquement de mains à la fin de la phrase.*

Quand tu entends
un joyeux refrain

Claque dans tes mains

Claque dans tes mains

Une fois .... *Un claquement de mains à la fin de la phrase.*

Deux fois .... *Deux claquements de mains à la fin de la phrase.*

Quand tu entends
un joyeux refrain

Claque dans tes mains

Claque dans tes mains

Une fois .... *Un claquement de mains à la fin de la phrase.*

Deux fois .... *Deux claquements de mains à la fin de la phrase.*

Trois fois .... *Trois claquements de mains à la fin de la phrase.*

Claque dans tes mains

Avec entrain .... *Les enfants applaudissent à volonté.*

La ronde tourne chaque fois que sont reprises les trois premières phrases, ainsi que sur les deux dernières.

Rondes éliminatoires

Sur un mot déclencheur de la comptine, un ou plusieurs enfants doivent quitter la ronde.

•• La ronde du muguet ••
(Ronde traditionnelle)

En marchant.

À la ronde du muguet
Sans rire et sans parler
Le premier qui rira
Au piquet pour une fois
Croisez les bras.

À la fin de la dernière phrase, les enfants font face au centre de la ronde pour se regarder les uns les autres afin de se faire rire. L'adulte, meneur de jeu, prononce les premières éliminations, puis il revient aux éliminés de le faire. Les membres du jury, ainsi constitué, restent autour de la ronde pour provoquer le rire de leurs camarades.

•• La sorcière Polycarpe ••

En marchant.

La sorcière Polycarpe habite dans un palais
Elle exige obéissance de ses très nombreux sujets
Souvent, elle est en colère, elle veut tous les renvoyer
À la cave ou au grenier
« Sujets aux yeux bleus, sortez ! »
La sorcière Polycarpe habite dans un palais
Elle exige obéissance de ses très nombreux sujets
Souvent, elle est en colère, elle veut tous les renvoyer
À la cave ou au grenier
« Sujets aux yeux verts, sortez ! »
La sorcière Polycarpe habite dans un palais
Elle exige obéissance de ses très nombreux sujets
Souvent, elle est en colère, elle veut tous les renvoyer
À la cave ou au grenier
« Sujets aux yeux bruns, sortez ! »

La ronde tourne sur les quatre premières phrases puis, le meneur de jeu prononce la cinquième. Les enfants éliminés constituent une deuxième ronde. Les deux rondes tournent à nouveau et une seconde élimination fait grossir la deuxième ronde. À la troisième (et dernière) élimination, la ronde initiale est reconstituée, le jeu peut recommencer.

• Variante

Les critères d'élimination changent :
- Les cheveux longs, les cheveux courts.
- Les cheveux blonds, les châtains, les roux, les bruns.
- Les pantalons, les jupes, les robes, les salopettes.

•• Les statues ••

En marchant.

Pour jouer à la statue sans se faire éliminer

Il ne faut, surtout pas, bouger

Ni les mains

Ni les pieds

Ni le bout du nez

« Attention, statues, bras croisés »

La ronde tourne sur les cinq premières phrases. Sur « nez », les enfants s'immobilisent face au centre de la ronde dans l'attente de la proposition du meneur de jeu. Dès la fin de la sixième phrase, les statues s'immobilisent dans la position demandée. Les statues qui bougent sont éliminées. Les enfants évincés restent à proximité de la ronde pour aider le meneur de jeu à observer les statues et pour signaler celles qui ne sont pas, parfaitement, inertes.

Propositions pour la sixième phrase :

Mains sur la tête

À genoux

Accroupies

Sur une jambe

Sur l'autre jambe

et

Pour jouer à la statue sans se faire éliminer

...

Les jeux dansés

On range dans la catégorie des jeux dansés toutes les formations différentes des rondes. Ces jeux se pratiquent en grand groupe. Parfois, tous les enfants sont reliés ensemble comme dans les grandes farandoles ou les jeux avec tunnel, parfois le groupe se scinde en petites formations de deux à six enfants comme dans les tresses ou les queue leu leu.

Lors de ces chorégraphies, les enfants se joignent à l'autre (ou aux autres) de diverses façons. Tantôt ils se donnent le bras, comme dans les cortèges, parfois ils se tiennent par les deux mains jointes, comme dans les tunnels… Certaines fois encore, ils s'accrochent par la taille comme dans les jeux avec un pont. Certaines figures sont plus compliquées que d'autres, certains jeux dansés étant plus particulièrement réservés aux enfants de la grande section. Il appartient à chaque enseignant de faire un choix et d'établir une progression en fonction des compétences de ses élèves.

Queues leu leu

Pour jouer à la queue leu leu, les enfants marchent, en file, les uns derrière les autres en se tenant par les épaules. La file est constituée de tout le groupe classe, ou bien de trois à six enfants composant des petites files et évoluant même temps. Le rôle du premier est capital, c'est lui qui donne l'impulsion au groupe. Il oriente la file dans l'espace, tourne, évite les obstacles. Il est le seul à avoir les mains libres. Les suivants posent leur main droite, bien à plat, sur l'épaule droite de leur prédécesseur et leur main gauche, bien à plat, sur son épaule gauche. Au moment de l'apprentissage d'une queue leu leu en grand groupe, l'enseignant peut se mettre face au conducteur et marcher à reculons pour diriger ses circonvolutions. Dans un deuxième temps, la queue leu leu évolue sans que les enfants soient reliés les uns aux autres. Cette figure leur demande une plus grande vigilance. Ils doivent suivre de près l'enfant qui est devant eux tout en respectant la distance. Il faut qu'ils se situent ni trop près, ni trop loin de l'autre.

•• Quand trois poules vont au champ ••
(Jeu traditionnel)

En marchant.

Quand trois poules vont au champ

La première va devant

La deuxième suit la première

La troisième vient par derrière

Quand trois poules vont au champ

La première va devant

Les enfants se déplacent, en file, les uns derrière les autres en se tenant par les épaules.

• Variantes
- Constituer des files de trois à cinq enfants.
- À la fin de la comptine la (les) file(s) se retourne(nt) et change(nt) de sens. C'est l'enfant qui était le dernier qui est alors en tête de la queue leu leu.

•• La chenille ••

En marchant.

Quand la chenille se déplace

Elle prend beaucoup de place

Elle marche de-ci, de-là

Ondule cahin, caha

Lorsqu'elle voit une voisine

Elle fuit comme une coquine

Sans dire bonjour, bonsoir

Ni salut, ni au revoir

C'est la chenille ronchon

Qui nous donne des boutons

Plusieurs files, constituées de quatre à cinq enfants qui se tiennent par les épaules, évoluent dans l'espace en prenant soin de ne pas se rencontrer. La formulette est reprise plusieurs fois.

• **Variantes**

- À la fin de la comptine, le premier enfant passe à la queue. La comptine est rechantée, et c'est au tour du deuxième de conduire la chenille… ainsi de suite, jusqu'au dernier.

- Même exercice sans que les enfants se tiennent par les épaules.

- L'allure du déplacement varie.

•• Glin glin glin ••

En marchant les uns derrière les autres et en se tenant par les épaules.

Glin glin glin

Glin glin glin

Laissez passer le petit train

Glin glin glin

Glin glin glin

Laissez passer le petit train

Il roule de ville en ville

Et emporte les enfants

Très loin de leur domicile

Jouer sur le sable blanc

Glin glin glin,

Glin glin glin

Laissez passer le petit train

Glin glin glin

Glin glin glin

Laissez passer le petit train

Le groupe classe forme une seule file. Sur le dernier mot, les enfants font demi-tour et la file repart dans le sens opposé. Le premier devient ainsi le dernier et le dernier prend la tête de la file.

• Variantes

- La classe se scinde en trois ou quatre files.
- Les enfants se suivent sans se tenir par les épaules.

•• Roule petit train ••

En marchant.

Le petit train est parti ce matin

Il arrive en gare de Paris

Premiers voyageurs descendez, s'il vous plaît

Le petit train est parti ce matin

Il arrive en gare de Toulon

Deuxièmes voyageurs descendez, s'il vous plaît

Le petit train est parti ce matin

Il arrive en gare de Béziers

Troisièmes voyageurs descendez, s'il vous plaît

Les enfants qui se tiennent par les épaules sont rangés en file, par trois. Ils évoluent en faisant des circonvolutions dans tout l'espace.

À la fin de la troisième phrase, sur « s'il vous plaît », le premier enfant qui conduisait la file passe à la queue de celle-ci et la queue leu leu redémarre.

Au deuxième « s'il vous plaît », même cas de figure, le conducteur passe à l'arrière et la queue leu leu redémarre.

Il en va de même pour le troisième. La comptine est reprise à nouveau et la queue leu leu redémarre.

•• Trois poussins ••

En marchant.

Trois petits poussins

Trottinent sur le chemin

Le premier qui est malin

Part, pour picorer du grain

Le deuxième qui est coquin

S'invite pour le festin

Le troisième petit gredin

Rapidement, les rejoint

Trois petits poussins

Trottinent sur le chemin

Les enfants qui se tiennent par les épaules sont rangés en file, par trois. Ils évoluent en faisant des circonvolutions dans tout l'espace.

La file marche sur les deux premières phrases puis, sur les deux suivantes, seul le premier enfant avance tandis que les suivants s'immobilisent.

Sur la cinquième et la sixième phrase, le deuxième enfant rejoint le premier tandis que le troisième reste encore immobile.

Sur la septième et huitième phrases, le troisième enfant rejoint ses compagnons. Enfin, la file repart, groupée, sur les deux dernières phrases.

• Variante

Les enfants évoluent sans se tenir par les épaules.

•• Les éléphants ••

En marchant.

Papa, maman et deux enfants

C'est la famille des éléphants

Quand il y a, peut être, un danger

Le papa va voir le premier

Puis, sans bruit

La maman le suit

Et si, vraiment, tout va bien

Peuvent venir les deux bambins

Papa, maman et deux enfants

C'est la famille des éléphants

Même jeu que le précédent. Les deux enfants avancent en même temps, en troisième position.

• Variantes

- Les enfants évoluent sans se tenir par les épaules.
- Le premier enfant passe le bras droit entre ses jambes et donne, ainsi la main à l'enfant qui le suit, ainsi de suite, sauf pour le dernier dont la main reste dans le vide. Cette façon de se tenir permet de mieux mimer le pas lourd de l'éléphant.

Farandoles

Pour former une farandole, les enfants se rangent en file et se donnent les mains, la farandole est comme une ronde ouverte. Elle est conduite par le premier de la file. Il appartient à celui-ci de la faire évoluer dans tout l'espace de jeu et de l'amener à décrire toutes sortes de circonvolutions. Les changements de sens s'effectuent lorsque le dernier de la farandole devient, à son tour le conducteur, entraînant la file dans la direction opposée. Pour initier les plus petits à ce type de jeu, pour bien les sensibiliser à l'occupation de tout l'espace, l'enseignant prend, au début, la tête de la file.

•• Laissez passer les petits enfants ••
(Jeu traditionnel)

En marchant.

Laissez passer les petits enfants

Pour aller voir leur maman aux champs

et

Laissez passer les petits enfants

…

Les deux phrases sont reprises sans cesse. La farandole se déplace dans tout l'espace de jeu.

• Variantes
- Les deux phrases sont répétées deux fois puis la farandole change de sens, le dernier devient le conducteur pendant les quatre phrases suivantes. Un nouveau changement de sens… ainsi de suite.
- À la fin des deux premières phrases, le premier va en bout de file et le deuxième conduit pendant les deux phrases suivantes. Il passe, à son tour, en bout de file et le troisième conduit, ainsi de suite…
- La grande farandole se scinde en plusieurs petites farandoles et effectue les variantes précédentes.

•• Les cigales ••

En sautillant.

Les cigales et les cigalons

Chantent l'été dans les branches

Pour les filles et les garçons

Qui vont danser le dimanche

Ils se tiennent par la main

Et dansent sur les chemins

La farandole se déplace dans tout l'espace de jeu.

• Variantes
- À la fin de la comptine, la farandole change de sens. Le dernier de la file devient le conducteur… nouveau changement de sens et ainsi de suite…

- La grande farandole se scinde en plusieurs petites farandoles (quatre à six enfants) dont le conducteur change à la fin de la comptine. Le premier va en bout de file et le deuxième conduit. Il passe, à son tour, en bout de la file et le troisième conduit et ainsi de suite...

•• Bamba, le boa ••

En marchant.

Bamba le boa jaune et vert

Cherche un gros rat pour son dessert

Il tourne, vire et il retourne

Il virevolte et il contourne

Il ondule dans tous les sens

Espérant trouver sa pitance

Mais point de rat dans ce grand bois

Il mangera un ananas

La farandole se déplace en décrivant le plus de circonvolutions possibles. Des plots posés à terre favorisent les détours.

•• La famille Youplala ••

En marchant.

La famille Youplala

Et la famille Youpdada

Se promènent lentement

En respirant l'air du temps

Elles se promènent, elles se promènent

Elles se promènent sur le boulevard

Quand par hasard elles se rencontrent

Elles se disent bonjour

Puis elles reprennent leur parcours

Le groupe est scindé en deux farandoles qui évoluent dans tout l'espace de jeu. Les conducteurs doivent veiller à amener leur farandole l'une près de l'autre, au moment du chant de la septième phrase afin que les danseurs puissent se saluer d'un signe de tête sur la huitième, tout en continuant à marcher. Puis les chemins des deux farandoles divergent, à nouveau… ainsi de suite.

• **Variantes**

- Les enfants se saluent d'un signe de la main, en continuant à marcher, sans quitter la farandole.
- Sur « Elles se disent bonjour », chaque danseur se désolidarise de sa farandole pour aller toucher la main à un danseur de l'autre farandole puis il reprend sa place, rapidement.

•• La fête des Arlequins ••

En sautillant.

Si nous nous donnons la main

Nous irons tous à la fête

À la fête des copains

La fête des Arlequins

Promenons-nous partout

Faisons bruisser nos frous-frous

Promenons-nous partout

Faisons tinter nos bijoux

Faire circuler la farandole en explorant tout l'espace.

• **Variantes**

- Scinder la grande farandole composée par le groupe classe en plusieurs petites farandoles qui évoluent en évitant de se rencontrer.
- Aller dans un sens puis dans l'autre. Le dernier devient alors le conducteur de la farandole.

•• La chaîne des pompiers ••

En pas chassés.

Faisons la chaîne des pompiers

Qui sont toujours pressés

Quand la sirène nous appelle

Il y a déjà des étincelles

Vite, vite, vite, vite

Il faut éteindre le feu

Vite, vite, vite, vite

Laissez passer les courageux

Faisons la chaîne des pompiers

Qui sont toujours pressés

La farandole évolue en occupant tout l'espace de jeu.
Sur « Vite, vite, vite, vite », les enfants lèvent les bras tendus en l'air.
Sur le second « Vite, vite, vite, vite », ils lèvent les bras à nouveau.

• Variantes
- On peut adapter cette farandole à l'âge des élèves en remplaçant les pas chassés par un pas de marche, un petit pas de course ou encore un galop.
- Sur « courageux », la farandole change de sens et la comptine est enchaînée, à nouveau.

Cortèges

Pour former un cortège, les enfants vont par deux, bras dessus, bras dessous ou main dans la main. Ils sont rangés en file et c'est le premier couple qui conduit le cortège. Il doit le guider en se déplaçant dans tout l'espace de jeu. Ce type de formation est préparatoire au jeu de tresse. Le groupe classe peut former un seul cortège ou être morcelé en plusieurs petites formations constituées d'au moins quatre couples.

•• Petite hirondelle ••
(Jeu traditionnel)

En sautillant.

Petite hirondelle

Passez par la ruelle

Petite souris

Passez par ici

Les enfants forment des couples qui, bras dessus, bras dessous, sont rangés en file. Le cortège évolue au gré des deux meneurs qui le conduisent en faisant des circonvolutions dans tout l'espace.
La comptine est reprise plusieurs fois.

• Variante
Sur le dernier mot, le cortège s'immobilise. Les couples se détachent, afin que chaque enfant fasse un demi-tour sur place, avant de redonner le bras à son partenaire (l'enfant qui donnait son bras gauche donne, alors, son bras droit et vice versa pour son associé). Le cortège démarre alors en sens inverse… Ainsi de suite, plusieurs fois…

•• Le mariage ••

En sautillant.

Au mariage de tante Aglaé

Toute la famille est arrivée

À la fin de la cérémonie

Toute la famille est repartie

Le couple qui conduit le cortège entraîne sa suite et, sur le dernier mot de la dernière phrase, le cortège s'immobilise.
Les couples se détachent, afin que chaque enfant puisse faire un demi-tour sur place avant de redonner le bras à son partenaire (l'enfant qui donnait son bras gauche donne alors son bras droit et vice versa pour son associé). Le cortège démarre, alors, en sens inverse… Ainsi de suite, plusieurs fois.

•• Bras dessus, bras dessous ••

En sautillant.

Bras dessus, bras dessous

Nous partons nous promener

Bras dessus, bras dessous

Nous allons nous amuser

Bras dessus, bras dessous

Si nous sommes fatigués

Bras dessus, bras dessous

Il faudra s'en retourner

Même jeu que le précédent. Sur le dernier mot, les enfants pivotent et le cortège part en direction opposée.

• Variante

Sur la cinquième phrase, les couples se font face pour tourner sur place en se donnant le bras opposé. Le bras droit de l'un est passé sous le bras gauche de l'autre. Sur la sixième, ils changent de sens en changeant de bras. Le bras gauche de l'un est passé sous le bras droit de l'autre. Ils reprennent le sens de la marche sur les deux dernières phrases.

•• À l'école ••

En marchant.

À la grande école des enfants

C'est vraiment très amusant

Il faut bien marcher par deux

Pour rendre le maître heureux

Au premier coup de sifflet

Un, deux, trois, tournez

Même jeu que le précédent, mais les enfants se tiennent par la main. Sur le dernier mot, ils pivotent et le cortège part en direction opposée.

•• Les inséparables ••

En marchant.

Les inséparables vont toujours par deux

Où tu vas, je vais

Où je vais, tu vas

Si tu vas à Beauvais

Je viens avec toi

Si tu vas à Bordeaux

Je serai le roi des oiseaux

et

Les inséparables vont toujours par deux

…

Des petits cortèges de quatre à six couples sont formés. À la fin de la comptine, le couple qui conduisait passe en fin de cortège et c'est le deuxième qui mène la danse. Il passe, à son tour, en fin de file et le troisième couple dirige… Ainsi de suite.

•• Ti bada badi ••

En sautillant.

Quand les lampions s'allument

Sur les collines roses et bleues

Les très joyeux baladins

Dansent et chantent ce refrain

Ti bada badi

Ti bada bada

Tireli rouli

Tireli roula

Le cortège évolue sur les quatre premières phrases puis les couples effectuent quatre changements de sens, en restant sur place. Successivement, sur chacune des quatre dernières phrases, les couples font un demi-tour sur place, avant de se redonner le bras. La comptine reprend et le cortège redémarre.

• **Variante**
Formation de petits cortèges de quatre à six enfants.

Tresses

La tresse se danse par deux, les partenaires se placent face à face, main droite dans main droite, main gauche dans main gauche (les bras sont croisés). En tirant sur leurs bras, ils pivotent de façon à se retrouver « côte à côte » pour marcher ou sautiller. Cette manœuvre leur permet, durant la danse, de pivoter pour changer la direction de leur déplacement. Les enfants chantent la comptine en marchant ou en sautillant, partout, à leur gré, dans tout l'espace. Sur le dernier mot, ils tirent sur leurs bras pour se tourner sur place et repartir dans l'autre sens. La formulette est toujours reprise plusieurs fois.

Tresses simples

•• L'omelette ••

(Provence)

En sautillant.

Donnez-nous un peu de lait

Pour tourner notre omelette

Donnez-nous un peu de lait

Pour la tourner comme il faut

Lalalirette

Sur « Lalalirette », les enfants tirent sur leurs bras croisés pour changer de sens et ils repartent, dans le sens opposé, en chantant la formulette... Ainsi de suite, plusieurs fois.

•• Dans le bois du roi ••

En sautillant.

Allons nous promener

Dans le bois du roi

Allons nous promener

En sautant de joie

Sur « joie », les enfants tirent sur leurs bras croisés pour changer de sens et, ils repartent, dans le sens opposé, en chantant la formulette… Ainsi de suite, plusieurs fois.

•• Trotte mon cheval ••

En trottant à petits pas.

Trotte, trotte mon cheval

Sur les routes de France

Quand tu seras fatigué

Il faudra t'en retourner

et

Trotte, trotte mon cheval

…

Sur « retourner », les enfants tirent sur leurs bras croisés pour changer de sens et, ils repartent, dans le sens opposé, en chantant la formulette… Ainsi de suite, plusieurs fois.

•• Donne-moi la main ••

En marchant.

Donne-moi la main pour aller à l'école

Marchons bien

Sautons bien

Jouons bien sur le chemin

et

Donne-moi la main pour aller à l'école

…

Sur « chemin », les enfants tirent sur leurs bras croisés pour changer de sens et, ils repartent, dans le sens opposé, en chantant la formulette… Ainsi de suite, plusieurs fois.

•• Attention au loup ••

En sautillant.

Partons à la ville

Bras dessus, bras dessous

Allons, bien tranquilles

Mais prenons garde au loup

et

Partons à la ville

…

Sur « loup », les enfants tirent sur leurs bras croisés pour changer de sens et, ils repartent, dans le sens opposé, en chantant la formulette… Ainsi de suite, plusieurs fois.

•• Tourne par ici ••

En marchant.

Pour aller à Paris

Tourne par ici

Pour aller à Blois

Tourne par là

Pour aller à Nancy

Tourne par ici

Pour aller à Foix

Tourne par là

Au cours de cette tresse, les enfants changent quatre fois le sens de leur marche, sur les deux « ici » et les deux « là ».

• Variante

Les tresses se déplacent en cortège, tous les enfants, effectuant les changements de sens, en même temps.

Tresses avec va-et-vient

Ce type de tresse nécessite des mouvements de va-et-vient avec les bras avant le pivotement pour changer de sens.

•• L'omelette à l'herbette ••
(Jeu traditionnel)

En sautillant.

Allons chercher l'herbette

Pour faire une omelette

L'omelette est prête

Tournons-la

Virons-la

L'omelette est dans le plat

Sur les deux premières phrases, les enfants se déplacent à leur gré.
Sur « omelette », ils se font face et, durant les trois phrases suivantes, effectuent un mouvement de scie en tirant, tour à tour sur le bras droit et le bras gauche.
Sur « plat », ils tirent sur leurs bras afin de se retourner et partir dans l'autre sens… Ainsi de suite

•• Quand on fait des crêpes ••
(Jeu traditionnel)

En sautillant.

Quand on fait des crêpes chez nous

Maman vous invite

Quand on fait des crêpes chez nous

Elle vous invite tous

Une pour toi

Une pour moi

Une pour mon cousin François

Une pour toi

Une pour moi

Une pour tous les trois

et

Quand on fait des crêpes chez nous

...

Sur les quatre premières phrases, les enfants se déplacent à leur gré.
Sur « tous », ils se font face et jusqu'à la fin de la comptine effectuent un mouvement de scie, en tirant, tour à tour sur le bras droit et le bras gauche.
Sur « trois », ils tirent sur leurs bras afin de se retourner et partir dans l'autre sens... Ainsi de suite.

•• Allons au marché ••

En sautillant.

Nous allons au marché, acheter des bonbons

Des gâteaux et des citrons

Quand le panier est plein

On revient

et

Nous allons au marché, acheter des bonbons

...

Sur les deux premières phrases, les enfants se déplacent à leur gré.
Sur « citrons », ils se font face et, durant la phrase suivante, effectuent un mouvement de scie en tirant, tour à tour sur le bras droit et le bras gauche.
Sur « On revient », ils effectuent un petit saut pour se remettre, côte à côte, et ils reprennent leur déplacement dans la direction opposée, en rechantant la comptine... Ainsi de suite.

•• Scions le bois ••

En marchant.

Pour faire du feu dans la cheminée

Il faut trouver du bois et bien le scier

Scions, scions le bois

Pour ne pas avoir froid

Scions, scions le bois

Pour ne pas avoir froid

et

Pour faire du feu dans la cheminée

…

Sur les deux premières phrases, les enfants se déplacent à leur gré.

Sur « scier », ils se font face et, durant les quatre phrases suivantes, effectuent un mouvement de scie en tirant, tour à tour sur le bras droit et le bras gauche.

Ils reprennent leur déplacement dans la même direction en rechantant la comptine… Ainsi de suite.

•• Un pour toi ••

En marchant.

Pour partager les bonbons

Attention, attention

Il faut savoir bien compter

Pour ne pas se tromper

Un pour moi

Un pour toi

Un pour toi et moi

et

Pour partager les bonbons

…

Sur les quatre premières phrases, les enfants se déplacent à leur gré.

Sur « tromper », ils se font face et, durant les quatre phrases suivantes, effectuent un mouvement de scie, assez lent, en tirant, tour à tour sur le bras droit et le bras gauche.

Sur « Un pour toi et moi », ils accélèrent le mouvement et se retournent sur « moi ».

Ils reprennent leur déplacement dans la direction opposée, en rechantant la comptine… Ainsi de suite.

•• Les moustiques ••

En sautillant.

Les moustiques, par les soirs d'été

Adorent nous dévorer

Il faut savoir s'agiter

Et, ainsi, leur échapper

Un, deux, trois

Bougeons pour éviter

Un, deux, trois

De nous faire piquer

Les moustiques, par les soirs d'été

et

Adorent nous dévorer

...

Sur les quatre premières phrases, les enfants se déplacent à leur gré. Sur « échapper », ils se font face et, durant les quatre phrases suivantes, effectuent un mouvement de scie, rapide, en tirant, tour à tour sur le bras droit et le bras gauche. Ils se retournent sur « piquer ».
Ils reprennent leur déplacement dans la direction opposée, en rechantant la comptine… Ainsi de suite.

Jeux avec tunnel

Dans ce jeu, il s'agit pour les enfants, qui sont en file deux par deux et face à face, de former un tunnel avec leurs deux bras tendus au-dessus de leur tête, main droite dans main gauche et main gauche dans main droite. Sous ce tunnel, tout le groupe va défiler. Il faut prévoir un espace important pour permettre au tunnel de progresser vers l'avant mais, dans une salle, il arrive, toujours, un moment où il doit bifurquer. Cette difficulté est à résoudre et à travailler avec les danseurs, au moment où elle se présente pour la première fois.

•• En passant les Pyrénées ••
(Jeu traditionnel)

En marchant.

En passant les Pyrénées

Y'a d'la neige

Y'a d'la neige

En passant les Pyrénées

Y'a d'la neige

Jusqu'au nez

En passant le Canigou

Y'a d'la neige

Y'a d'la neige

En passant le Canigou

Y'a d'la neige

Jusqu'au cou

En passant l'Himalaya

Y'a d'la neige

Y'a d'la neige

En passant l'Himalaya

Y'a d'la neige

Jusque-là

Tous les enfants forment un tunnel sous lequel les couples défilent, à tour de rôle. Dès le début de la deuxième phrase, le dernier couple de la file s'engage sous le tunnel, en baissant les bras mais sans se lâcher les mains. À l'arrivée, il prend sa place, en tête du tunnel. Le couple suivant fait de même dès que le premier est en place… ainsi de suite jusqu'à ce que tout le groupe soit passé sous le tunnel.

• **Variante**

Les couples se succèdent sans attendre l'arrivée du couple précédent.
Attention à la bousculade !

•• Le tunnel sous la Manche ••

En marchant.

Pour aller en Angleterre

Il faut passer sous la mer

Attention

Le tunnel est ouvert

Passe, passe, passe, passe

Passe, passe, passe donc

Passe, passe, passe, passe

Passe, passe, passe donc

Pour aller en Angleterre

Il faut passer sous la mer

Attention

Le tunnel est ouvert

Passe, passe, passe, passe

Passe, passe, passe donc

et

Pour aller en Angleterre

...

Tous les enfants, immobiles, chantent les quatre premières phrases. Ils
se donnent les mains, bras tendus à hauteur des épaules.
Sur « ouvert », ils lèvent leurs bras tendus au-dessus de la tête.
Sur les deux phrases suivantes, le dernier couple de la file passe sous le
tunnel, sans se lâcher les mains et vient se ranger au début de la file, à
l'autre extrémité. Un deuxième couple fait de même sur les deux
phrases qui suivent. La chanson reprend avec le même jeu de bras et
ainsi de suite, deux couples franchissent le tunnel à chaque nouveau
jeu.

•• L'arc-en-ciel ••

En marchant.

Quelques fois après la pluie

Apparaît un arc-en-ciel

Son éclat nous éblouit

C'est le plus beau des tunnels

Glissons sous le rose

Glissons sous le bleu

Glissons sous l'orange

Glissons sous le jaune et bleu

et

Glissons sous le rose

...

Le tunnel se déplace, de droite à gauche et de gauche à droite, sur les quatre premières phrases. Sur la première, les danseurs du même côté reculent, en même temps, tandis que leurs partenaires avancent (les bras, réunis par les mains, sont toujours tendus au-dessus de la tête). Sur la deuxième phrase, c'est le contraire qui se produit : le rang qui reculait avance et vice versa. La même figure est réalisée sur la troisième et la quatrième phrase.

À la fin de la quatrième phrase, sur « tunnels », les enfants s'immobilisent et sur le premier « glissons », le passage commence. Les couples se dissocient pour franchir le tunnel et se reforment à l'arrivée. Les enfants se suivent, les uns derrière les autres, sans attendre que le couple précédent soit arrivé au bout. (Attention à la bousculade !) Les quatre dernières phrases sont répétées pendant le passage de tout le groupe jusqu'à ce que les deux enfants qui étaient les premiers aient retrouvé leur place.

•• La voiture d'Arthur ••

En marchant.

Avez-vous vu Arthur

Quand il conduit sa voiture

Il est vraiment prudent

Il roule doucement

Roule, roule, roule

Calmement, lentement

Roule, roule, roule

Prudemment

Les couples se déplacent sur les quatre premières phrases. Sur la première, un danseur sur deux, du même côté recule, tandis que son partenaire avance (les bras, réunis par les mains sont toujours tendus au-dessus de la tête). Sur la deuxième phrase, c'est le contraire qui se produit : les danseurs qui reculaient avancent et vice versa. La même figure est réalisée sur la troisième et la quatrième phrase.

Sur « doucement », le tunnel s'immobilise et sur le premier « roule », le dernier couple de la file passe sous le tunnel, sans se lâcher les mains et vient se ranger au début de la file, à l'autre extrémité. Le couple suivant attend qu'il soit arrivé pour démarrer à son tour. Le troisième fait de même et… ainsi de suite, tout le monde répétant, sans arrêt, les quatre dernières phrases. Le jeu s'arrête lorsque tous les danseurs sont passés sous le tunnel.

Jeux avec pont et farandole

Deux enfants qui se font face forment un pont avec leurs bras levés au-dessus de leur tête. Les autres joueurs forment une farandole dans laquelle les partenaires se tiennent par la main, et qui passe et repasse sous ce pont. L'enfant qui est à la tête de la farandole oriente les déplacements de celle-ci.

•• Laissez passer les alouettes ••
(Jeu traditionnel)

En marchant.

Ah ! Laissez-les passer les alouettes

Ah ! Laissez-les passer

Elles vont souper

Passez trois fois

La dernière, la dernière

Passez trois fois

La dernière restera

Les deux enfants qui forment le pont décident, en secret, de choisir chacun un fruit ou un animal ou une couleur…

Pendant toute la durée de la comptine, la farandole passe et repasse sous le pont.

Sur « restera », les deux joueurs qui forment le pont emprisonnent avec leurs bras abaissés, un membre de la farandole et lui demandent, à voix basse, de choisir entre les deux fruits. Selon son choix, le prisonnier se range derrière l'un ou l'autre des deux joueurs. Pendant ce temps, la farandole qui a été coupée se reforme, les enfants qui sont de chaque côté du pont se rejoignent pour se donner la main. Le jeu recommence et continue jusqu'à ce que tous les membres de la farandole soient capturés.

On regarde, alors, de quel côté se trouve le plus d'enfants. Le groupe le plus nombreux est déclaré gagnant.

•• L'arche fleurie ••

En sautillant.

Quand c'est la fête au pays

Tout le monde va danser

On franchit l'arche fleurie

Avant de payer son billet

Voulez-vous danser, Monsieur

Voulez-vous danser, Madame

Dansez, dansez

C'est la fête, c'est la fête

Dansez, dansez

Sans jamais vous arrêter

Les deux enfants qui forment l'arche décident, en secret, de choisir chacun une couleur.

Les quatre premières phrases de la comptine sont chantées pendant la farandole passe sous le pont.

Sur « billet », les deux joueurs qui forment l'arche emprisonnent, avec leurs bras abaissés, un membre de la farandole et lui demandent, à voix basse, de choisir entre les deux couleurs. Selon son choix, l'enfant retenu se range derrière l'un ou l'autre des deux joueurs. Pendant ce temps, la farandole qui a été coupée se reforme. Le jeu recommence, toujours en reprenant les quatre premières phrases. Il continue jusqu'à ce que tous les membres de la farandole soient capturés.

La cinquième et la sixième phrase sont, alors, chantées pour permettre aux enfants d'une file de s'apparier avec les danseurs de l'autre file. Ils s'enlacent comme le font les danseurs de tango.

Sur les quatre dernières phrases, les couples s'élancent et dansent, en sautillant et en occupant tout l'espace.

•• Le pont des sorcières ••

En marchant.

Pour passer sous le pont des sorcières

Là-bas tout là-bas

Tout au fond du bois

Il faut être bien téméraire

Et marcher à tout petits pas

Il faut avancer prudemment

Car elles vous capturent en un instant

Les deux enfants qui forment le pont décident, en secret, de choisir chacun un animal féroce.

Pendant toute la durée de la comptine, la farandole passe et repasse sous le pont.

Sur « instant », les deux joueurs qui forment le pont emprisonnent, avec leurs bras abaissés, un membre de la farandole et lui demandent, à voix basse, de choisir entre les deux animaux. Selon son choix, le prisonnier se range derrière l'un ou l'autre des deux joueurs. Pendant ce temps, la farandole qui a été coupée se reforme. Le jeu recommence et continue jusqu'à ce que tous les membres de la farandole soient capturés.

On regarde, alors, de quel côté se trouve le plus d'enfants. Le groupe le plus nombreux est déclaré gagnant.

• Variante
Pour cette variante, réservée à la grande section, la prudence est nécessaire.

Les deux sorcières qui forment le pont abaissent leurs bras et se tiennent, fortement, par les poignets. Les coéquipiers qui sont rangés en file, derrière elles, entourent de leurs bras la taille de leur prédécesseur. Au signal donné, les deux camps tirent chacun de son côté. Le groupe qui entraîne l'autre est le gagnant.

Il faut recommander aux chefs de file de ne pas se lâcher les poignets pour ne pas entraîner la chute des joueurs.

•• Les truites ••

En marchant.

Les jolies truites roses et bleues

Se laissent porter par l'eau claire

Elles passent sous le pont Richelieu

Sans s'arrêter elles s'affairent

Mais attention elles sont guettées

Par les pêcheurs et leurs grands filets

Même jeu et même variante que pour *Le pont des sorcières*. La capture de la truite a lieu sur « filets ».

Le CD

•• Présentation

Le CD, qui offre l'interprétation musicale chantée de quatre vingt dix neuf comptines, est le complément indispensable de l'ouvrage. Il est tout d'abord nécessaire à l'enseignant, qui écoute dans un premier temps les paroles et les mélodies des comptines afin de mieux choisir le jeu ou la ronde qu'il souhaite faire apprendre. Cette audition lui permet d'évaluer le niveau de difficulté de l'exercice pour décider s'il correspond aux capacités de ses élèves. De plus, elle facilite, pour une même catégorie de rondes ou de jeux, la mise en place d'une réelle progression et elle est utile pour établir la programmation annuelle des rondes et jeux dansés[1].

L'écoute du CD facilite l'apprentissage de la mélodie et des paroles de la comptine. En la réécoutant, plusieurs fois, l'enseignant pourra la chanter lui-même, parfaitement.

En effet, il est nécessaire que le maître chante lors des séquences d'apprentissage de la danse car il peut, facilement, s'interrompre pour expliquer une figure, répéter plusieurs fois la même phrase, laisser un temps plus long entre deux enchaînements, adopter un rythme plus lent ou plus rapide... L'exemple du maître qui chante, qui transmet sa joie et son plaisir de chanter, entraîne les élèves à faire de même. Dans cette activité, il est essentiel de chanter et de danser en même temps.

Le CD s'utilise ensuite avec la classe, pour présenter une nouvelle danse et déclencher l'intérêt pour le nouveau jeu, la nouvelle histoire. Les enfants sont regroupés, silencieux et attentifs pour une première écoute puis, lorsque la mélodie s'achève, une réelle situation de communication s'instaure. Ils commentent, identifient, font des hypothèses : il est question d'un crapaud, d'un mariage, d'un pantin... C'est une ronde pour s'accroupir, c'est une queleuleu... On ne sait pas ce qu'il faut faire... L'enseignant dialogue, explique, informe... Enfin, un nouveau moment d'audition permet aux enfants de mémoriser les paroles et la mélodie de la comptine avant de commencer à s'essayer à la chorégraphie.

C'est alors, après de nombreux essais et quand celle-ci est parfaitement maîtrisée, que les plus grands peuvent danser sur l'air du CD.

---

1. Le CD suit la même progression que le livre : les rondes, ainsi que les jeux dansés, sont présentés par ordre de difficultés croissantes. Il en est de même dans chaque catégorie. On trouve d'abord une danse traditionnelle, référence du genre, puis, les danses originales sont présentées selon une progression de difficultés croissantes.

•• Organisation
Les rondes

• Rondes simples

Plage 1 : **Meunier, tu dors**
(comptine traditionnelle, arrangée par Joël Vancraeynest)

Plage 2 : **Tourne bien**
(comptine inédite[2], mise en musique par Joël Vancraeynest)

Plage 3 : **La ronde des oiseaux**
(comptine inédite, mise en musique par Luc Debuire)

Plage 4 : **La belle ronde**
(comptine inédite, mise en musique par Luc Debuire)

Plage 5 : **Les flocons de neige**
(comptine inédite, mise en musique par Joël Vancraeynest)

Plage 6 : **Le mille-pattes**
(comptine inédite, mise en musique par Joël Vancraeynest)

Plage 7 : **Digue digue din**
(comptine inédite, mise en musique par Luc Debuire)

Plage 8 : **Dansez mignons**
(comptine inédite, mise en musique par Joël Vancraeynest)

Plage 9 : **Les gentils petits enfants**
(comptine inédite, mise en musique par Luc Debuire)

• Rondes finissant en position accroupie

Plage 10 : **Au jardin de ma tante**
(comptine traditionnelle, arrangée par Luc Debuire)

Plage 11 : **Le crapaud qui chante**
(comptine inédite, mise en musique par Joël Vancraeynest)

Plage 12 : **La ronde des bébés**
(comptine inédite, mise en musique par Luc Debuire)

Plage 13 : **Les poissons frétillants**
(comptine inédite, mise en musique par Luc Debuire)

Plage 14 : **Le plongeon**
(comptine inédite, mise en musique par Joël Vancraeynest)

Plage 15 : **Les lapins du moulin**
(comptine inédite, mise en musique par Joël Vancraeynest)

Plage 16 : **Dans les bois de St Pompom**
(comptine inédite, mise en musique par Luc Debuire)

Plage 17 : **Les jolis bambins**
(comptine inédite, mise en musique par Joël Vancraeynest)

• Rondes avec rebond et accroupi

Plage 18 : **Le beau bateau**
(comptine traditionnelle, arrangée par Joël Vancraeynest)

Plage 19 : **Auguste**
(comptine inédite, mise en musique par Joël Vancraeynest)

---

2. Les comptines inédites ont toutes été écrites par Solange Sanchis.

Plage 20 : **Attention au ruisseau**
(comptine inédite, mise en musique par Luc Debuire)
Plage 21 : **Petite Amandine**
(comptine inédite, mise en musique par Luc Debuire)
Plage 22 : **Le pantin**
(comptine inédite, mise en musique par Luc Debuire)
Plage 23 : **Le criquet**
(comptine inédite, mise en musique par Joël Vancraeynest)

• Rondes en avançant et en reculant
Plage 24 : **J'aime la galette**
(comptine traditionnelle, arrangée par Luc Debuire)
Plage 25 : **Naviguons**
(comptine inédite, mise en musique par Luc Debuire)
Plage 26 : **Le jardinier**
(comptine inédite, mise en musique par Joël Vancraeynest)
Plage 27 : **Il pleut**
(comptine inédite, mise en musique par Joël Vancraeynest)
Plage 28 : **Les voyages**
(comptine inédite, mise en musique par Luc Debuire)
Plage 29 : **L'âne Polisson**
(comptine inédite, mise en musique par Joël Vancraeynest)

• Rondes changeant de sens
Plage 30 : **Amérika**
(comptine traditionnelle, arrangée par Joël Vancraeynest)
Plage 31 : **La souris**
(comptine inédite, mise en musique par Luc Debuire)
Plage 32 : **Cousin Romain**
(comptine inédite, mise en musique par Joël Vancraeynest)
Plage 33 : **Les autruches**
(comptine inédite, mise en musique par Joël Vancraeynest)
Plage 34 : **La crème**
(comptine inédite, mise en musique par Luc Debuire)
Plage 35 : **Les crabes**
(comptine inédite, mise en musique par Luc Debuire)

• Rondes tournant le dos
Plage 36 : **J'ai des pommes à vendre**
(comptine traditionnelle, arrangée par Luc Debuire)
Plage 37 : **Les crêpes**
(comptine inédite, mise en musique par Joël Vancraeynest)
Plage 38 : **Les papillons blancs**
(comptine inédite, mise en musique par Joël Vancraeynest)
Plage 39 : **Le petit chat**
(comptine inédite, mise en musique par Joël Vancraeynest)
Plage 40 : **La dispute**
(comptine inédite, mise en musique par Luc Debuire)

Plage 41 : **Le tourne-dos**
(comptine inédite, mise en musique par Luc Debuire)

• Rondes mimées

Plage 42 : **Le petit Limousin**
(comptine traditionnelle, arrangée par Joël Vancraeynest)

Plage 43 : **Savez-vous planter les choux**
(comptine traditionnelle, arrangée par Luc Debuire)

Plage 44 : **Pour remplir son panier**
(comptine inédite, mise en musique par Luc Debuire)

Plage 45 : **La danse des mathématiques**
(comptine inédite, mise en musique par Joël Vancraeynest)

Plage 46 : **Le manège**
(comptine inédite, mise en musique par Luc Debuire)

Plage 47 : **Carnaval**
(comptine inédite, mise en musique par Joël Vancraeynest)

Plage 48 : **Les coquettes et les coquets**
(comptine inédite, mise en musique par Luc Debuire)

• Rondes avec des enfants au milieu

Plage 49 : **Oh ! Grand Guillaume**
(comptine traditionnelle, arrangée par Joël Vancraeynest)

Plage 50 : **Dansez papillons**
(comptine inédite, mise en musique par Joël Vancraeynest)

Plage 51 : **La tourterelle**
(comptine inédite, mise en musique par Joël Vancraeynest)

Plage 52 : **Le bal**
(comptine inédite, mise en musique par Luc Debuire)

Plage 53 : **Le bouquet**
(comptine inédite, mise en musique par Luc Debuire)

Plage 54 : **Les mariés**
(comptine inédite, mise en musique par Luc Debuire)

• Rondes énumératives

Plage 55 : **La mich't en l'air**
(comptine traditionnelle, arrangée par Luc Debuire)

Plage 56 : **Le général a dit**
(comptine inédite, mise en musique par Luc Debuire)

Plage 57 : **La ronde d'Oulélé**
(comptine inédite, mise en musique par Joël Vancraeynest)

Plage 58 : **Claque dans tes mains**
(comptine inédite, mise en musique par Joël Vancraeynest)

• Rondes éliminatoires

Plage 59 : **La ronde du muguet**
(comptine traditionnelle, arrangée par Luc Debuire)

Plage 60 : **La sorcière Polycarpe**
(comptine inédite, mise en musique par Joël Vancraeynest)

Plage 61 : **Les statues**
(comptine inédite, mise en musique par Joël Vancraeynest)

Les jeux dansés

• Queues leu leu

Plage 62 : **Quand trois poules**
(comptine traditionnelle, arrangée par Joël Vancraeynest)

Plage 63 : **La chenille**
(comptine inédite, mise en musique par Joël Vancraeynest)

Plage 64 : **Glin, glin, glin**
(comptine inédite, mise en musique par Joël Vancraeynest)

Plage 65 : **Roule petit train**
(comptine inédite, mise en musique par Luc Debuire)

Plage 66 : **Trois poussins**
(comptine inédite, mise en musique par Luc Debuire)

Plage 67 : **Les éléphants**
(comptine inédite, mise en musique par Luc Debuire)

• Farandoles

Plage 68 : **Laissez passer les petits enfants**
(comptine traditionnelle, arrangée par Luc Debuire)

Plage 69 : **Les cigales**
(comptine inédite, mise en musique par Joël Vancraeynest)

Plage 70 : **Bamba, le boa**
(comptine inédite, mise en musique par Joël Vancraeynest)

Plage 71 : **La famille Youplala**
(comptine inédite, mise en musique par Joël Vancraeynest)

Plage 72 : **La fête des Arlequins**
(comptine inédite, mise en musique par Luc Debuire)

Plage 73 : **La chaîne des pompiers**
(comptine inédite, mise en musique par Luc Debuire)

• Cortèges

Plage 74 : **Hirondelle**
(comptine traditionnelle, arrangée par Joël Vancraeynest)

Plage 75 : **Le mariage**
(comptine inédite, mise en musique par Luc Debuire)

Plage 76 : **Bras dessus, bras dessous**
(comptine inédite, mise en musique par Joël Vancraeynest)

Plage 77 : **À l'école**
(comptine inédite, mise en musique par Luc Debuire)

Plage 78 : **Les inséparables**
(comptine inédite, mise en musique par Luc Debuire)

Plage 79 : **Ti bada badi**
(comptine inédite, mise en musique par Joël Vancraeynest)

• Tresses simples

Plage 80 : **L'omelette**
(comptine traditionnelle, arrangée par Luc Debuire)

Plage 81 : **Dans le bois du roi**
(comptine inédite, mise en musique par Luc Debuire)

Plage 82 : **Trotte mon cheval**
(comptine inédite, mise en musique par Luc Debuire)

Plage 83 : **Donne-moi la main**
(comptine inédite, mise en musique par Joël Vancraeynest)

Plage 84 : **Attention au loup**
(comptine inédite, mise en musique par Joël Vancraeynest)

Plage 85 : **Tourne par ici**
(comptine inédite, mise en musique par Joël Vancraeynest)

• Tresses avec va et vient

Plage 86 : **L'omelette à l'herbette**
(comptine traditionnelle, arrangée par Joël Vancraeynest)

Plage 87 : **Quand on fait des crêpes**
(comptine traditionnelle, mise en musique par Luc Debuire)

Plage 88 : **Allons au marché**
(comptine inédite, mise en musique par Luc Debuire)

Plage 89 : **Scions le bois**
(comptine inédite, mise en musique par Joël Vancraeynest)

Plage 90 : **Un pour toi**
(comptine inédite, mise en musique par Joël Vancraeynest)

Plage 91 : **Les moustiques**
(comptine inédite, mise en musique par Luc Debuire)

• Jeux avec tunnel

Plage 92 : **En passant les Pyrénées**
(comptine traditionnelle, arrangée par Luc Debuire)

Plage 93 : **Le tunnel sous la Manche**
(comptine inédite, mise en musique par Joël Vancraeynest)

Plage 94 : **L'arc-en-ciel**
(comptine inédite, mise en musique par Joël Vancraeynest)

Plage 95 : **La voiture d'Arthur**
(comptine inédite, mise en musique par Luc Debuire)

• Jeux avec pont et farandole

Plage 96 : **Laissez passer les alouettes**
(comptine traditionnelle, arrangée par Joël Vancraeynest)

Plage 97 : **L'arche fleurie**
(comptine inédite, mise en musique par Joël Vancraeynest)

Plage 98 : **Le pont des sorcières**
(comptine inédite, mise en musique par Luc Debuire)

Plage 99 : **Les truites**
(comptine inédite, mise en musique par Luc Debuire)

Partitions des comptines mises en musique et arrangées par Luc Debuire

QUAND ON FAIT DES CREPES CHEZ NOUS

Quand on fait des crêp' chez nous Maman vous in vi te Quand on fait des crêp' chez nous Elle vous in vi te tous Un' pour toi Un' pour moi Un' pour mon cou sin François Un' pour tous les trois D.C.

ALLONS AU MARCHE

Nous a llons au mar ché a che ter des bonbons Des gâ teaux et des citrons Quand le panier est plein on re vient

LES MOUSTIQUES

Les mous-ti-ques par les soirs d'é-té A-do-rent nous dé-vo-rer

Il faut savoir s'a-gi-ter Et ain si leur é-chap-per Un deux trois bou-

-geons pour é-vi-ter Un, deux trois De nous faire pi-quer

EN PASSANT LES PYRENEES

1. En pa-ssant les Py-ré -nées Y a d'la neige, y a d'la neige En pa
2. " " le Cani-gou " " " " "
3. L'Hi-mala- ya

-ssant les Py-ré-nées y a d'la neige jus qu'au nez En pa-
" " le Cani-gou " " " " cou
L'Hi-mala- ya jusque là

LES TRUITES

Les jolies truites Ros' et bleues Se laissent por-ter

par l'eau clair' Ell'pass'sous le pont Ri-che-lieu Sans s'a-rrêter

Elles s'a-ffair' Mais attention Ell' sont guè'ttées par les pê-cheurs et leurs

grands Fi-lets

LA RONDE DES BEBES

Pour jouer au bé-bé il Faut savoir ra-pe-ti-sser

1   2   3   Tout pe-tit

LA FETE DES ARLEQUINS

Si nous nous do nnons la main. Nous i. rons tous à la fê.te

A la fê.te des ca. pains La fê te des ar.le. quins 1. Pro me. nons 2. '' ''

1. nous partout Faisons bruisser nos Frou frous
2. '' '' Faisons tinter nos bi-joux

LES GENTILS PETITS ENFANTS

1. les gen.tils pe.tits en. fants qui se tiennent par la main.
2. '' '' '' '' '' '' '' ''
3. '' '' '' '' '' '' '' ''

1. Marchent marchent marchent Les gen.tils pe.tits en. fants
2. sautent sautent sautent '' '' '' ''
3. Courent courent courent '' '' '' ''

1. qui se tiennent par la main. marchent marchent marchent marchent
2. '' '' '' '' sautent sautent sautent sautent
3. '' '' '' '' Courent courent courent courent

1. marchent bien
2. sautent bien
3. courent bien

LA CHAINE DES POMPIERS

Fai sons la chaine des pom. piers qui sont tou jours pré.

2° fois FIN

ssé quand la si rè ne nous a. ppell' il y a dé. jà des é.tin.

.cell' vi.te vi.te vi.te vit' il Faut é. teindre le feu.

vi.te vi.te vite vit' lai ssez pa.sser les coura.geux

LE MARIAGE

Au ma. ria.ge de tant' A.gla. é Toute la Fa.

.mill' est a. ..rri. vée A la fin de la cé. ré.mo

.nie Toute la Fa. mill' est re. .par. tie

L'OMELETTE

Donnez nous un peu de lait pour tour ner notr' o me

-le tte donnez nous un peu de lait Pour la tour ner comm' il

Faut la la li rett'

DANS LE BOIS DU ROI

A llons nous prome ner Dans le bois du roi

A llons nous prome ner En sau tant de joie

TROTTE MON CHEVAL

Trotte trotte mon che val sur les rou tes de Fran ce

Quand tu seras Fati gué il fau dra t'en re tour nes

A L'ECOLE

A la grand'é. co. le des en fants C'est vraiment trop a. mu. sant

Il faut bien marcher par deux Pour ren. dre le maît'. heu. reux Au premier coup

de si. fflet Un, deux, trois tournez

LES INSEPARABLES

les in. sé'. pa. ra. bles vont tou. jours par deux Où tu vas je vais

Où je vais tu vas Tu vas à Beauvais je viens a. vec toi

Tu vas à Bor deaux je se. rai le Roi des or seaux

LES COQUETTES ET LES COQUETS

LES MARIES

LE BOUQUET

LA MICH'T EN L'AIR

TROIS PETITS POUSSINS

2° Fois Fin

Trois pe-tits pou-ssins trotti-nent sur la che-min.

1. le pre-mier qui est malin part pour pi-co-rer du grain.
2. le deu-xièm'qui est co-quin s'in-vi-te pour un festin.
3. le troi-sièm'pe-tit gre-dun rapi-de-ment les re-joint

LE GENERAL A DIT

le gé-né-ral a dit il faut fair' tout c'que je dis

Un tu saut' deux tu t'a-ccrou-pis le gé-né-ral a

dit il faut fair' tout c'que je dis Un tu saut'

deux tu t'a-ccrou-pis trois tu lèv' les bras le quatr' tu t'a ge-

nouill' la Cinq tu cours tu cours tu cours tu cours

ROULE PETIT TRAIN

1. le pe- tit train est par- ti ce ma- tin
2. "

1. Il a- rriv' en gar' de Pa- ris Pre- miers vo- ya-
2. " " Deu- xièm' " "
3. " " Toulon Troi- sièm' " "
     Beziers

1. -geurs de- scen- dez s'il vous plaît
2. " " " "
3. " " " "

LES ELEPHANTS

Pa- pa ma- man et deux en- fants C'est la fa-

2°Fois FIN

-mill' des é- lé- phants quand il y a peut- êtr' un dan- ger

le pa- pa va voir le pre- mier Puis sans bruit la ma- man le

suit Et si vraiment tout va bien Peu- vent ve- nir les deux bam- bins

J'AI DES POMMES A VENDRE

LA DISPUTE

LE TOURNE-DOS

1. Quand on fait la ron-de tout peut a-rri-ver il
2. " " "

Faut tou-jours bien é-cou-ter Youp la la

Poil orange tourne-toi tout le mond'
Chaussures blanches tourne-toi

Tour-nez vous co-mme moi

SAVEZ-VOUS PLANTER LES CHOUX

Sa-vez vous plan-ter les choux à la mode à la mode
On les plant'a-vec le doigt à la mode à la mode

Savez vous planter les choux à la mo-de de chez nous
on les plant'a-vec le doigt à la mo-de de chez nous etc.

POUR REMPLIR SON PANIER

C'est bien compli. qué pour le jar di nier

C'est bien com.pli. qué de remplir son pa - nier

FIN à la 2° reprise

1. Pour cue.llir des frais' Il faut se bai. sser
2. Mais pour les fram bois' Il faut se pen.cher

1. Pour cue.llir des prun' Il faut s'é ti. rer.
2. Et pour les me.lons il faut à nou.veau plonger

LE BAL

1. Prin.ce mon beau prin. ce vous qui sa.vez bien dau.ser
2. Prince mon beau prin. ce ve.nez vi te me cher.cher

Dan.sons dan.sons la vals' et le ri go. don.

Dan. sons dan. sons tous en rond tous en rond

LE MANEGE

1. Ce soir c'est la fê. te   on va s'a. mu. ser

1. Viens sur le ma. nè. ge   je vais te mon. trer

sur le vé. lo tu cour. bes le dos

1. Sur le cha. meau tu vas   au ga. lop
2. Sur la tou. pie tour. ne sans ré'. pit

2° Fois

1. Sur la voi. tur' tu choi. sis l'a. lleur'
2. (t sur l'a. vion fait comm' le pa pi. .llon.

je vais te mon. trer

LAISSEZ PASSER LES PETITS ENFANTS

1 Lai. ssez pa. sser les pe. tits en. fants pour aller

voir leur ma. man aux champs. Lai.

136

LE PANTIN

NAVIGUONS

1. Naviguons sur notre beau bateau. Quand le temps est beau

beau Naviguons sur notre beau bateau

2° Fois Coda

Quand le temps est beau Mêm' si la mer mon-te

mon-te mon-te mon-te N'a-yons pas peur sur le ba-

Coda

-teau la mer re-des- cend aus-si tôt beau

LA CREME

Pour fai-re la crèm' Il faut mé-lan-ger le lait et le

suer'a vec un fouet Tour-nons là vi-rons là Hop là

138

LES VOYAGES

LES CRABES

1. Pro-me-nons nous sur la plag' Mar-chons tout doux sur le
2. Mais a-ttention a-tten-tion É vi-tons les crabes

sabl' À pe-tits pas a-van-çons
verts Qui mar-chent tout de bea-vers

1. Pe-tit pas sur le cô-té' Pe-tit pas sur le cô-
2. Vite de l'au-tre cô-té' Vi-te de l'au-tre cô

-té' Hop la nous so-mmes pa-ssés Nous pou-vons con-
-té'

-ti-nu-er à nous pro-me-ner

LA RONDE DU MUGUET

A la ronde du mu-guet Sans rir'et sans par-ler

le pre-mier qui ri-ra Au pi-quet pour u-ne fois croisez les

bras.

LA RONDE DES OISEAUX

les oi - seaux dans le ciel font la ronde font la ronde

les oiseaux dans le ciel font u - ne grande rond' autour

du so - leil.

LA BELLE RONDE

Oh la rond' la belle ronde C'est la plus be - lle du monde.

Fai - sons la tour - ner longtemps et nous se rons très con - tents

Fai - sons la tour - ner long - temps En - ri - ant

DIGUE DIGUE DIN

Prends ma main tiens la bien. Sur tout ne la lâche pas

Di-gue di-gue din   Di-gue di-gue din

Prends ma main tiens la bien Et nous par-ti-rons là-bas

Di-gue di-gue da   Di-gue di-gue da

AU JARDIN DE MA TANTE

Au   jar-din de ma   tan-te le ro-ssi-gnol y

chan-te Fait tou tou net   Fait tou tou net fait tuit

Partitions des comptines mises en musique et arrangées par Joël Vancraeynest

Carnaval

Quand arrive Carnaval Tout le monde danse au bal

Quand arrive Carnaval Tout le monde danse au bal

4 fois
Pour danser comme Mickey Il faut bien lever les pieds

4e fois D.C al coda
Un pied l'autre pied Un pied l'autre pied

coda
Tout le monde danse au bal

Claque dans tes mains

Quand tu entends un joyeux refrain Claque dans tes mains

Claque dans tes mains une fois deux fois trois

fois Claque dans tes mains avec en-train

Cousin Romain

Si tu vois cousin Romain Dis-lui que tu l'aimes

Fin
Si tu vois cousin Romain Dis-lui que tu l'aimes bien

Si tu vois cousin Edouard Change vite de trottoir

D.C.
Il est, vraiment, trop bavard

144

Bamba le boa

Bamba le boa jaune et vert
Cherche un gros rat pour son des - sert

Il tourne, vire et il retourne
Il vi - re - volte et il con - tourne

Il on - du - le dans tous les sens
Es - pé - rant trouver sa pi - tance

Mais point de rat dans ce grand bois   Il mangera un a na nas

Dansez papillons

Sur le chemin de l'école   Ce matin j'ai rencontré

Un joli pa - pil - lon rose   et avec lui j'ai dansé

Dansez jolis papillons   Dansez tous en rond

Dansez jolis papillons   Dansez tous en rond

D.C.

Et avec lui j'ai dansé

Dansez mignons

Dansez les pe - ti - tes filles Dansez les pe - tits gar - çons

Dansez les jolies gentilles Dansez les jolis mignons

Tournez bien, virez bien En vous tenant par la main

Dansez bien les diablotins

Donne-moi la main

Donne - moi la main pour aller à l'é - co - le

Marchons bien Sautons bien Jouons bien sur le chemin

Le jardinier

Dans mon jardin j'ai planté Des dahlias et des œillets

Quand la nuit est arrivée Mes fleurs se sont refermées

Quand le soleil s'est levé Elles se sont réveillées

Des radis et des navets

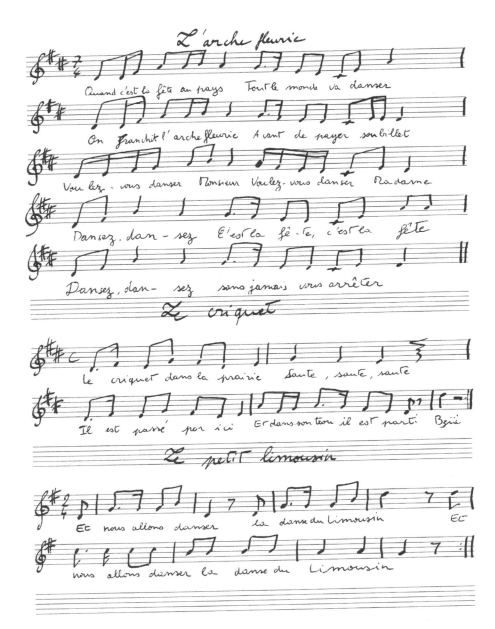

L'arche fleurie

Quand c'est la fête au pays   Tout le monde va danser

On franchit l'arche fleurie   Avant de payer son billet

Voulez-vous danser Monsieur   Voulez-vous danser Madame

Dansez, dan-sez   C'est la fê-te, c'est la   fête

Dansez, dan- sez   sans jamais vous arrêter

Le criquet

Le criquet dans la prairie   Saute, saute, saute

Il est passé par ici   Et dans son trou il est parti   Brrr

Le petit limousin

Et nous allons danser   la danse du limousin   Et

nous allons danser la   danse du   Limousin

La danse des mathématiques

Pour savoir bien danser la danse des mathématiques Il faut
Savoir bien compter Et faire beaucoup de mimiques
1, 2 levez un pied 3, 4 tournez, tournez 5, 6 Taper les cuisses
7, 8 Claquez des mains 9, 10 Embrassez votre voisin Nous
-pté Et nous avons bien mimé

La famille Youpla la

La famille Youpla la Et la famille Youpla da da Se promènent lentement
En respirant l'air du temps Elles se promènent elles se promènent
Elles se promènent sur le boulevard Quand par hasard elles se rencon - Trent
Elles se disent Bonjour Puis elles re - prennent leur parcours

Les jolis bambins

les jolis bambins font la ronde, font la ronde Il sont tout pe-
-tits petits petits Mais, demain ils seront grands
Grands, grands très grands les jolis bambins font la ronde tous les ma-
-tins

Le tunnel sous la manche

Pour aller en Angleterre Il faut passer sous la mer
Attention le tunnel est ouvert Passe, passe, passe, passe
Passe, passe passe donc

Les autruches

Si les autruches qui se promènent Semblent toujours hésiter
C'est que pour leur petites têtes le choix est très compliqué
1, 2, 3 Elles vont d'un côté 1, 2, 3 De l'autre côté
le choix est très compliqué

Les cigales

Les cigales et les cigalons Chantent l'été dans les branches

Pour les filles et les garçons Qui vont danser le dimanche

Ils se tiennent par la main Et dansent sur les chemins

Les flocons de neige

Dansez en rond, les petits flocons de neige

Valsez, légers, sans jamais vous re poser

Et voletez sur mon petit bout de pied

Les lapins du moulin

C'est la ronde des petits lapins Qui tourne près

du moulin Mais si le loup vient à passer Il rentrent dans

leur ter - rier Yé

Le mille-pattes

Le mille-pattes qui danse Lève bien ses pieds

En tor-tillant il avance il n'est jamais pressé

1, 2, 3, 4, 5 --- Mille-pattes

Le petit chat

lon lon la lon la Danse danse petit chat

Lon lon la lon la A Trois tu te re tourneras 1, 2, 3

Le plongeon

Les jolis poissons nagent, nagent, nagent les jolis poissons nagent

nagent en rond -sons vont faire un beau plongeon Splash

Scions le bois

Pour faire du feu dans la cheminée Il
faut trouver du bois et bien le scier Sci - ons,
scions le bois Pour ne pas avoir froid Sci - ons
Scions le bois pour ne pas avoir froid

Ti bada badi

Quand les lampions s'allument Sur les collines roses et bleues
les très joyeux baladins Dansent et chantent ce refrain
Ti bada badi Ti bada bada Tireli roreli Tire li roula

Tourne bien

Pour faire une ronde Donne moi la main Tourne, Tourne
Tourne Tourne Tourne bien Jusqu'à demain matin

Le beau bateau

Il tourne en rond notre beau bateau, Il tourne en rond trois fois; Il tourne en rond notre beau bateau, Et tombe au fond de l'eau

Amérika

A – mé – ri – Ka, A – mé – ri – ka Nous tournons trois fois Nous sautons, hop là!

Oh! Grand Guillaume

Oh! grand Guillaume, As - tu bien déjeu - né? Mais oui, Madame, J'ai mangé du pâté; Du pâté d'alou - ette, Guillaume et Guillaumette, Et cha - cun se salue - ra, Et Guillaume res - te - ra

Ah! laissez-les passer les alouettes

Ah! laissez-les passer les alou - et - tes

Ah! laissez-les passer elles vont souper Pas-

-sez trois fois la dernière la dernière Pas-

-sez trois fois la dernière restera

Table alphabétique des comptines

A

À l'école (Cortège) 99

Allons au marché (Tresse avec va-et-vient) 105

Amérika (Ronde en changeant de sens) 56

L'âne Polisson (Ronde en avançant et en reculant) 55

L'arc-en-ciel (Jeu dansé avec tunnel) 110

L'arche fleurie (Jeu dansé avec pont et farandole) 112

Attention au loup (Tresse simple) 103

Attention au ruisseau (Ronde avec rebond et accroupi) 49

Auguste (Ronde avec rebond et accroupi) 49

Au jardin de ma tante (Ronde finissant en position accroupie) 44

Les autruches (Ronde en changeant de sens) 58

B

Le bal (Ronde avec enfant au milieu) 76

Bamba, le boa (Farandole) 95

Le beau bateau (Ronde avec rebond et accroupi) 48

La belle ronde (Ronde simple) 41

Bonjour (Jeu de doigts, avec les deux mains) 28

Le bouquet (Ronde avec enfant au milieu) 77

Bras dessus, bras dessous (Cortège) 99

C

Capucin (Jeu de doigts, sur le visage) 34

Le carnaval (Ronde mimée) 69

Celui-là (Jeu de doigts, qui commence par le petit doigt) 13

Ce que fait ma main (Jeu de doigts, avec les deux mains) 27

C'est bon (Jeu de doigts, qui commence par le pouce) 17

La chaîne des pompiers (Farandole) 96

La chenille (Queue leu leu) 90

Les cigales (Farandole) 94

Claque dans tes mains (Ronde énumérative) 85

Claquent petites mains (Jeu de doigts, avec les deux mains) 26

Coccinelle et ses petits (Jeu de doigts, avec opposition entre le pouce
    et les autres doigts) 21

Les coquettes et les coquets (Ronde mimée) 71

Cousin Romain (Ronde en changeant de sens) 57

Les crabes (Ronde en changeant de sens) 59

Le crapaud qui chante (Ronde finissant en position accroupie) 45

La crème (Ronde en changeant de sens) 58

Les crêpes (Ronde tournant le dos) 61

Le criquet (Ronde avec rebond et accroupi) 51

D

La danse des mathématiques (Ronde mimée) 67

Dansez mignons (Ronde simple) 43

Dansez papillons (Ronde avec enfant au milieu) 74

Dans le bois du roi (Tresse simple) 102

Dans les bois de St Pompom (Ronde finissant en position accroupie) 47

Deux petits bonshommes (Jeu de doigts, avec les deux mains) 24

Digue digue din (Ronde simple) 42

La dispute (Ronde tournant le dos) 62

Donne-moi la main (Tresse simple) 102

Dring, dring (Jeu de doigts, sur le visage) 33

Drôle de famille (Jeu de doigts, qui commence par le petit doigt) 15

E

Les éléphants (Queue leu leu) 92

En passant les Pyrénées (Jeu dansé avec tunnel) 108

F

La famille Youplala (Farandole) 95

La fête des Arlequins (Farandole) 96

La fleur (Jeu de doigts, qui commence par le pouce) 17

Les flocons de neige (Ronde simple) 41

G

Le général a dit (Ronde énumérative) 80

Gentil-Gentil et ses amis (Jeu de doigts, avec opposition entre le pouce
et les autres doigts) 23

Les gentils petits enfants (Ronde simple) 43

Glin, glin, glin (Queue leu leu) 90

Gros ours (Jeu de doigts, avec opposition entre le pouce et les autres doigts) 20

I

Il pleut (Ronde en avançant et en reculant) 53

Les inséparables (Cortège) 100

J

J'ai des pommes à vendre (Ronde tournant le dos) 60

J'aime la galette (Ronde en avançant et en reculant) 51

Le jardinier (Ronde en avançant et en reculant) 52

Jolie Francesca (Jeu de doigts, qui commence par le petit doigt) 14

Les jolis bambins (Ronde finissant en position accroupie) 47

L

Laissez passer les alouettes (Jeu dansé avec pont et farandole) 112

Laissez passer les petits enfants (Farandole) 94

Lapin dans la main (Jeu de doigts, avec les deux mains) 23

Les lapins du moulin (Ronde finissant en position accroupie) 46

Le lièvre (Jeu de doigts, avec les deux mains) 30

M

Ma canette Rosalie (Jeu de doigts, qui commence par le pouce) 17

La maison (Jeu de doigts, sur le visage) 33

La maison des oiseaux (Jeu de doigts, avec les deux mains) 28

Maman poule (Jeu de doigts, qui commence par le pouce) 19

Le manège (Ronde mimée) 68

Le mariage (Cortège) 98

Les mariés (Ronde avec enfant au milieu) 78

Meunier, tu dors (Ronde simple) 39

Le mille-pattes (Ronde simple) 42

Minouchet (Jeu de doigts, qui commence par le pouce) 16

La mich't en l'air (Ronde énumérative) 79

Monsieur et Madame (Jeu de doigts, avec les deux mains) 24

Monsieur Poucet (Jeu de doigts, avec opposition entre le pouce
et les autres doigts) 22

Les moustiques (Tresse simple avec va-et-vient) 107

N

Le nez du bébé (Jeu de doigts, sur le visage) 31

O

Oh ! Grand Guillaume (Ronde avec enfant au milieu) 73

L'omelette (Tresse simple) 101

L'omelette à l'herbette (Tresse simple avec va-et-vient) 104

P

Le pantin (Ronde avec rebond et accroupi) 50

Les papillons blancs (Ronde tournant le dos) 61

Pataud (Jeu de doigts, qui commence par le pouce) 18

La petite alouette (Jeu de doigts, avec les deux mains) 25

Petite Amandine (Ronde avec rebond et accroupi) 50

Le petit chat (Ronde tournant le dos) 62

Les petits chats (Jeu de doigts, avec opposition entre le pouce
et les autres doigts) 22

Petit cochon (Jeu de doigts, avec les deux mains) 25

Petits doigts qui frappent (Jeu de doigts, qui commence par le petit doigt) . . 14

Petit, gros... (Jeu de doigts, qui commence par le petit doigt) 13

Petite hirondelle (Cortège) 98

Le petit Limousin (Ronde mimée) 64

Petit Yann (Jeu de doigts, qui commence par le petit doigt) 12

Le piano (Jeu de doigts, avec les deux mains) 29

Le plongeon (Ronde finissant en position accroupie) 46

Le poing (Jeu de doigts, qui commence par le petit doigt) 15

Les poissons frétillants (Ronde finissant en position accroupie) 46

Le pont des sorcières (Jeu dansé avec pont et farandole) 113

Pouce câlin (Jeu de doigts, avec opposition entre le pouce
et les autres doigts) 20

Le poussin picore (Jeu de doigts, avec les deux mains) 26

Pour remplir son panier (Ronde mimée) 66

Q

Quand on fait des crêpes (Tresse simple avec va-et-vient) 104

Quand trois poules (Queue leu leu) 89

R

Rond, rond, rond (Jeu de doigts, avec opposition entre le pouce
et les autres doigts) 21

La ronde des bébés (Ronde finissant en position accroupie) 45

La ronde des oiseaux (Ronde simple) 40

La ronde d'Oulélé (Ronde énumérative) 82

La ronde du muguet (Ronde éliminatoire) 86

Roule petit train (Queue leu leu) 91

S

La salade de fruits (Jeu de doigts, avec les deux mains) 30

Savez-vous planter les choux (Ronde mimée) 65

Scions le bois (Tresse simple avec va-et-vient) 105

Les soldats (Jeu de doigts, qui commence par le petit doigt) 12

La sorcière Polycarpe (Ronde éliminatoire) 86

La soupe (Jeu de doigts, qui commence par le pouce) 18

La souris (Ronde en changeant de sens) 56

Les statues (Ronde éliminatoire) 87

Sur ma figure (Jeu de doigts, sur le visage) 32

T

La tarte aux kiwis (Jeu de doigts, qui commence par le pouce) 16

Ti bada badi (Cortège) 100

Toc, toc, toc (Jeu de doigts, avec opposition entre le pouce
     et les autres doigts) 19

Tourne bien (Ronde simple) 40

Le tourne-dos (Ronde tournant le dos) 63

Tourne par ici (Tresse simple) 103

La tourterelle (Ronde avec enfant au milieu) 75

Trois poussins (Queue leu leu) 92

Trotte mon cheval (Tresse simple) 102

Les truites (Jeu dansé avec pont et farandole) 114

Le tunnel sous la Manche (Jeu dansé avec tunnel) 109

U

Un pour toi (Tresse simple avec va-et-vient) 106

V

Voici mes mains (Jeu de doigts, avec les deux mains) 27

La voiture d'Arthur (Jeu dansé avec tunnel) 110

Les volets (Jeu de doigts, sur le visage) 32

Les voyages (Ronde en avançant et en reculant) 54

Table alphabétique des partitions

A

À l'école 128
Allons au marché 121
Amérika 158
L'âne Polisson 149
L'arc-en-ciel 149
L'arche fleurie 148
Attention au loup 143
Auguste 143
Au jardin de ma tante 142
Les autruches 152

B

Le bal 135
Bamba, le boa 145
Le beau bateau 158
La belle ronde 141
Le bouquet 130
Bras dessus, bras dessous 143

C

Carnaval 144
La chaîne des pompiers 126
La chenille 147
Les cigales 153
Claque dans tes mains 144
Les crabes 140
Le crapaud qui chante 149
La crème 138
Les crêpes 155
Le criquet 148
Les coquettes et les coquets 129
Cousin Romain 144

D

Dans le bois du roi 127
La danse des mathématiques 150
Dansez mignons 146
Dansez papillons 145
Digue digue din 142
La dispute 133
Donne-moi la main 146

E

Les éléphants 132
En passant les Pyrénées 122

F

La famille Youplala 150
La fête des Arlequins 125
Les flocons de neige 153

G

Le général a dit 131
Les gentils petits enfants 125
Glin, glin, glin 147

I

Il pleut 147
Les inséparables 128

J

J'ai des pommes à vendre 133
J'aime la galette 137
Le jardinier 146
Les jolis bambins 152

L

Laissez passer les alouettes 160
Laissez passer les petits enfants .. 136
Les lapins du moulin 153

M

Le manège 136
Le mariage 126
Les mariés 129
Meunier tu dors 157
La mich't en l'air 130
Le mille-pattes 154
Les moustiques 122

N

Naviguons 138

O

Oh ! Grand Guillaume 158
L'omelette 127
L'omelette à l'herbette 159

P

Le pantin 137
Les papillons blancs 155
Le petit chat 154
Petite hirondelle 159
Le petit Limousin 148
Le plongeon 154
Le pont des sorcières 123
Pour remplir son panier 135

Q

Quand on fait des crêpes chez
    nous 121
Quand trois poules vont aux
    champs 159

R

La ronde des bébés 124
La ronde du muguet 140
La ronde des oiseaux 141
La ronde d'Oulélé 151
Roule petit train 132

S

Savez-vous planter les choux 134
Scions le bois 156
La sorcière Polycarpe 151
La souris 139
Les statues 155

T

Ti bada badi 156
Tourne bien 156
Le tourne-dos 134
Tourne par ici 157
La tourterelle 151
Les truites 124
Trois petits poussins 131
Trotte mon cheval 127
Le tunnel sous la manche 152

U

Un pour toi 157

V

La voiture d'Arthur 123
Les voyages 139

Réalisation : Domino
Édition : Anne Marty
Correction : Florence Richard
Photographie de couverture : Carol Bayer/Photononstop
Illustrations : Caroline Modeste et Valérie Bétoulaud

N° de projet : 10183856
Dépôt légal : novembre 2007
Achevé d'imprimer en France en novembre 2011
sur les presses de la Nouvelle Imprimerie Laballery
N° d'impression : 110246